Mueller, i

Statistisches Jahı
deutschen Laender

zwischen Rhein, Mosel und der franzoesischen Grenze auf das Jahr 1815

Mueller, P.A.

Statistisches Jahrbuch für die deutschen Laender

zwischen Rhein, Mosel und der franzoesischen Grenze auf das Jahr 1815

Inktank publishing, 2018

www.inktank-publishing.com

ISBN/EAN: 9783750104099

Statistisches

Jahrbuch

für die

deutschen Länder zwischen dem Rhein, der Mosel
und der französischen Grenze

auf das Jahr 1815.

Herausgegeben

von

P. A. Müller,

Adjunkt der Kreisdirektion von Alzey.

Mit einer Karte des Landesbezirks.

Mainz,
in Kommission bei Florian Kupferberg.

Der Druck dieses Jahrbuchs wurde durch verschiedene Hindernisse, und besonders durch die Entfernung des Herausgebers vom Druckort verzögert. Um nun die für den Geschäftsmann interessanten Verzeichnisse der Beamten und Gemeinden demselben schneller in die Hände zu liefern, sah ich mich genöthigt, den Theil der Arbeit, der für die Darstellung der vorzüglichsten Zweige der Verfassung und Verwaltung des Landesbezirks bestimmt war, abzukürzen, und mich in den statistischen Angaben auf einige allgemein brauchbare Notizen zu beschränken. Vielleicht ist es mir jedoch vergönnt, bei einer an dern Gelegenheit von den vorräthigen Materialien und mehreren Abhandlungen, die ich unterrichteten Männern zu verdanken habe, Gebrauch zu machen, und dadurch die statistische Lage dieses Gebietes immer mehr aufzuklären.

Der Herausgeber.

Inhalt.

Vorrede III

Einleitende Bemerkungen über die allgemeine Verwaltung des Landesbezirks seit dem Jahr 1814 VII

Kalender 1

Genealogie der regierenden Häuser von Oesterreich und Baiern 15

Die k. k. öster. und k. baier. gemeinschaftliche Landes-Administrations-Kommission 17

Verzeichniß der Zentral- Departemental- und Kreis-Behörden, mit den Unterbehörden jeder Abtheilung.

A. In Hinsicht der Verwaltung, Polizey und Finanzen.

I. Die Kriegsschulden-Liquidations-Kommission 19
II. Die administrative Justiz-Kommission . . 20
III. Die Kreis-Direktionen 21
IV. Die öffentlichen Kassen 22
V. Die Forstverwaltung 23
VI. Der Wasser-, Weg- und Brückenbau . . 35
VII. Die Berg- und Hütten-Werke 37
VIII. Die Verwaltung der Salinen 38
IX. Medizinal-Anstalten 38
X. Oeffentlicher Unterricht 39
XI. Domänen-Direktionen 40

7

Seite.

XII. Steuer-Direktionen 45
XIII. Departemental-Armenanstalten 47
XIV. Verwaltung der Stuterei in Zweibrücken . 48

B. In Hinsicht der Gerechtigkeitspflege.

I. Appellationshof zu Trier 49
II. Kreisgerichte mit den Friedensgerichten und
   Notariatsstellen 51

C. In Hinsicht der kirchlichen Angelegenheiten.

I. Katholische Kirche 76
II. Lutherische Kirche 99
III. Reformirte Kirche 100

D. Bewaffnete Macht.

I. Landesgendarmerie 120
II. Landwehr 121

Verzeichniß der Gemeinden des Landes-Bezirks nach
Kreisen, Kantonen und Bürgermeistereien, mit den
Namen der Bürgermeister und Steuereinnehmer . 123

Anhang.

Stadt und Gebiet von Mainz 214

Anhang
für den Landesbezirk.

I. Alphabetisches Verzeichniß der Gemeinden . . . 2
II. Statistische Uebersichten 50
III. Nachträge und Berichtigungen 63

Einleitende Bemerkungen
über die allgemeine
Verwaltung des Landesbezirks
seit dem Jahr 1814.

Als die verbündeten Heere in dem Anfang des Jahres 1814 über den Rhein giengen, um durch die deutschen Departemente gegen das innere Frankreich vorzubringen, war das Land eine Zeitlang ohne Verwaltung. Die Präfekten und Unterpräfekten hatten auf Weisung der französischen Regierung ihre Stellen verlassen, oder wurden in die Festungen eingeschlossen. Die Bande zwischen den obern und untern Beamten, die zur Erhaltung einer bestimmten Ordnung nöthig sind, waren aufgelöst, die Gesetze ohne Macht, die Gemüther zwischen Furcht und Hoffnung getheilt, und das Land zur Verpflegung der ansehnlichen Kriegsmacht, die es in allen Richtungen durchzog, dringend aufgefordert.

Nach dem schnellen Durchmarsche der drei Hauptkorps, welche den Uebergang bei Mannheim, Kaub und Koblenz bewirkten, trat endlich nach dem 9ten Jänner ein ruhigerer Zustand ein. Königl. preußische Kriegskommissarien kamen als Intendanten in die Departemente; in das vom Donnersberg Hr. Henow, in das vom Rhein und Mosel Hr. Frandorf, in das Saardepartement Hr. Athenstaedt. Sie ersetzten, wo sie konnten, die Unterpräfekten, und suchten in die vielfältigen Requisitionen der Kriegsbedürfnisse

)(

Einheit und Verhältniß zu bringen, so viel es der Drang der Umstände erlaubte.

Indeß war die Ordnung noch nicht hergestellt. An manchen Orten regte sich der losgebundene Geist der Menge, die sich keine durch den Krieg herbeigeführte, politische Veränderung ohne Ausschweifung denken kann. Der große Haufen findet bei solchen Ereignissen oft nichts als eine Lossagung von jeder gesetzmäßigen Gewalt, und die Aufhebung von Steuern, ohne die keine Staatshaushaltung geführt werden kann. Gelingt es ihm, die Schranken, welche dem wilden Ausbruche seiner rohen Leidenschaft sich entgegensetzen, niederzuwerfen, dann wird er ein angeschwollener Strom, der keine Dämme achtend, das friedliche Land verwüstend überfluthet. Der Arme greift gierig nach dem Ueberflusse des Reichen, der Verbrecher wirft sich zum Richter auf, der Unterdrückte will sich durch Unterdrückung rächen, und die Stimme der nüchternen Vernunft verstummet vor dem frechen Geschrei der Leidenschaft.

Die hohen Alliirten suchten diesem Zustand der Willkühr zu begegnen, indem sie die eingeführte konstitutionsmäßige Ordnung bestehen, und das Neue nur nach und nach an die Stelle des Alten treten ließen.

Zwei Proklamationen des Feldmarschalls Blücher vom 1ten und 7ten Jänner waren in diesem Sinne erlassen; in der letzten forderte er die Civilbehörden auf, sich in ihrer Amtsübung, wenn es die Noth gebötet, von russischen oder preußischen Truppen unterstützen zu lassen.

Man untersuchte kein früheres Betragen, noch weniger leicht zu mißdeutende politische Meinungen. Diesem weisen Benehmen verdankt man die Ruhe in den Ländern des linken Rheinufers, die wohl hie und da durch einzelne unruhige Köpfe unterbrochen, aber nie im Allgemeinen gestört werden konnte.

Mit dem Anfang des Februar wurde endlich die Verwaltung nach einem umfassenderen Plane organisirt. Von den vier deutschen Rheindepartementen wurden drei, die vom Donnersberg, der Saar und Rhein- und Mosel, unter dem Namen des Generalgouvernements vom Mittelrhein, vereinigt, und die Verwaltung desselben dem wirklichen Etatsrath Sr. Majestät des Kaisers von Rußland, Justus Gruner, übertragen. Späterhin kam noch das Wälder-Departement dazu.

Der Generalgouverneur, der zuerst seinen Sitz in Trier, dann in Koblenz und endlich in Mainz nahm, verband auf eine gewisse Art die gesetzgebende Gewalt, mit der ganzen vollziehenden. Von ihm giengen alle Ernennungen zu den verschiedenen Stellen, die Organisation aller Behörden, und selbst die Einführung neuer Gesetze und Verordnungen, oder die Modifikationen der bestehenden aus. Die Eintheilung der Departemente wurde beibehalten, an die Stelle der Präfekten traten General-Gouverneurs-Kommissäre. Für den Donnersberg wurde Hr. von Otterstaedt, für Rhein und Mosel Hr. von Vinke, und für das Saardepartement der seitherige Intendant Hr. Athenstaedt (später Herr von Motz) ernannt. Die in Aktivität befindlichen Unterpräfekten wurden theils bestätigt, theils ersetzt; die Präfekturräthe dagegen aufgehoben, und eine General-Polizeidirektion gebildet. Die Beamten foderte man zur Eidesleistung auf, und machte sie verbindlich, alle öffentliche gerichtliche Akten, Reisepässe u. s. w. im Namen der hohen verbündeten Mächte auszustellen. Die deutsche Sprache wurde für die öffentlichen Geschäfte wieder eingeführt, und deutsche Amtstitel den Beamten gegeben, deren Wirkungskreis übrigens im Wesentlichen unverändert blieb.

Man fuhr fort, die direkten und indirekten Abgaben nach dem von der französischen Regierung eingeführten Syfteme, zu erheben, mit Ausnahme der Mauth - und Vereinigten Gebühren, welche schon seit dem Uebergang der Verbündeten aufgehört hatten.

Was aber die Verwaltung besonders, und beinahe ausschliessend beschäftigte, war die Sorge für die Herbeischaffung der Bedürfnisse für die Truppen, welche auf ihrem Marsche nach Frankreich durch das Land zogen, oder nach dem Frieden durch dasselbe zurückgiengen, die Korps ungerechnet, die sich im Lande festsetzten, um die Festungen einzuschließen.

Nach dem Pariser Friedensschluß (vom 50. May 1814) nderte sich die bisherige Verwaltung der Departemente des Mittelrheins, die unmittelbar von der Centralverwaltung aller durch die Alliirten besetzten Länder, an deren Spitze der Minister von Stein gesetzt war, abhängig gewesen ist.

Zufolge einer Uebereinkunft der verbündeten Mächte wurden die von Frankreich abgetretenen vier deutschen Departemente, mit Inbegriff des Wälderdepartements, unter zwei provisorische Verwaltungen gesetzt, welche die Mosel als Gränze von einander schied. Der auf dem linken Moseluser liegende Distrikt, welcher Theile von der Saar und Rhein und Mosel, und die Departemente der Roer und Wälder in sich schließt, bildete von nun an das General-Gouvernement vom Nieder- und Mittelrhein, unter der Oberleitung eines von Sr. Majestät dem Könige von Preußen ernannten Administrators, der seinen Sitz in Aachen nahm. Der dießseits der Mosel liegende Bezirk, welcher die übrigen Theile von der Saar und Rhein und Mosel, nebst dem Donnersberg enthält, kam unter die Oberleitung eines von J.J. Majestäten, dem Kaiser von Oesterreich und dem Könige von Baiern, ernannten gemeinschaftlichen Regierungs-Kommission, die ihren Sitz nach Kreuznach verlegte.

Die Civilverwaltung der Stadt Mainz, und der Gemeinden Kaffel und Koftheim wurde einer befonderen k. k. öfterreichifchen, und k. preuffifchen vereinigten Adminiftration übertragen.

Den dieffeitigen Landesbezirk befetzten öfterreichifche und baierifche Truppen.

In Mainz übernahm der k. k. öfterreichifche General der Kavallerie, Baron von Frimont, den Oberbefehl, während dem der k. baierifche Divifionsgeneral Delamotte fein Hauptquartier nach Worms verlegte.

Am 16ten Juli traten die Adminiftrationen von Mainz und Kreuznach, an der Stelle des bisherigen Generalgouvernements, in Wirkfamkeit.

Die letztere kündigte an demfelben Tage dem Lande ihre Beftimmung an, und forderte fämmtliche Behörden auf, ihre Funktionen nach den beftehenden Gefetzen, und in der bisherigen Adminiftrationsordnung, fortzuführen. Darauf bemühete fie fich, die verfchiedenen Verwaltungszweige nach den Grenzen und Bedürfniffen des Landes zu organifiren, und durch mehrere theils beftätigte, theils neugebildete Stellen den Gefchäftsgang in eine zweckmäßige Einheit zu bringen. Die Stellen der bisherigen General-Gouverne-ments-Kommiffäre wurden zwar durch proviforifche Depar-tementalbirektionen erfetzt, jedoch fpäterhin gänzlich aufge-hoben. Der Umfang der einzelnen Kreife wurde beftimmt; mit denen von Speyer, Zweibrücken, Ottweiler und Trier vereinigte man die ihnen zunächft gelegenen Kantone und Ge-meinden vom Niederrhein und der Mofel, welche Frank-reich abgetreten, fo wie die dieffeits der Mofel gelegenen Theile des Wälderdepartements. In den Kreifen Trier und Koblenz war, wegen der durch die Mofelgrenze entftandenen Tren-nung, hie und da eine andere Kantonaleintheilung noth-wendig geworden. Indem man fich für alle in diefer Hin-ficht nöthigen Erläuterungen auf die unten mitgetheilte Ueberficht der Territorialeintheilung des Landesbezirks bezieht, bleibt nur noch zu bemerken übrig, daß an verschiedenen Orten die Grenzberichtigung mit Frankreich noch nicht definitiv abgeschlossen ist.

Die Attributionen der Kreisdirektoren wurden in vielfacher Hinsicht erweitert, seitdem sie sich mit der Landesadministration in unmittelbaren Geschäftsverhältnissen befanden; späterhin hat man jedoch nöthig gefunden, sie durch die Anstellung von Adjunkten zu unterstützen, die sie im Falle der Verhinderung ersetzen, und übrigens, nach gewissen Vorschriften, gleichzeitig mit ihnen in die Verwaltung einwirken sollten.

Für den ganzen Landesbezirk errichtete man eine Generalkasse an dem Sitze der Regierung; dem Generaleinnehmer wurde auch noch die Kreiskasse von Alzey zugetheilt.

Die Forstverwaltung, der Wasser-, Weg- und Brückenbau, das Berg- und Hüttenwesen, die Salinen, das Zollwesen, der öffentliche Unterricht, die Medizinal-Anstalten erhielten ihre Centralbehörden. Bei dem Steuerwesen blieb die Eintheilung der Departemental-Directionen unverändert; ebenso wurden die Domänen-Direktionen von Mainz und Trier beibehalten, mit der Ausnahme, daß die Direktion von Koblenz mit der von Trier vereinigt wurde. Für den ganzen Landesbezirk errichtete man eine allgemeine Stempelverwaltung.

Die Amtsbefugnisse der durch das Generalgouvernement vom Mittelrhein aufgehobenen Präfekturräthe, fand man nöthig, in einer Centralstelle wieder herzustellen, die durch die Verordnung vom 29. September, unter dem Namen der administrativen Justizkommission, ihre Entstehung erhielt. Bei dieser Einrichtung erlitt der früherhin eingeführte Geschäftsgang nur die Abänderung, 1) daß die vorläufige Instruktion der zu entscheidenden Gegenstände dieser Kommission unmittelbar überlassen ist; 2) daß ihre Entscheidungen zur Vollziehung keiner weiteren Genehmigung bedürfen; 3) daß die Appellation von ihrer Entscheidung an die Landesadministration geht.

Für die Liquidation der neuern Kriegsschulden wurde eine eigne Kommission aus Deputirten der verschiedenen Kreise gebildet, welche die zu diesem Zwecke zusammenberufenen Departementalräthe zu wählen hatten. Drei Hauptgegenstände wurden durch die Verordnung vom 25. August ihrer Bearbeitung zugewiesen: 1) Die Festsetzung der am 15. Juni noch zu bezahlenden Kriegsschulden; 2) Die Ertheilung der Gutachten über die Zahlungsmittel; 3) Dasselbe über die Anschaffung jener Summen, welche seit dem 16. Juni zur Bestreitung der Verpflegungs- und Spitalbedürfnisse erfoderlich waren. Sie vertritt demnach an dem Sitze der Regierung die Angelegenheiten der Departemente und Kreise des Landesbezirks, in Hinsicht der Kriegskosten und ihrer wechselseitigen Ausgleichung. Die vor dem 15. Juni kontrahirten Schulden werden von ihr definitiv liquidirt; die Kommission übt dabei ein ihr von der Landesadministration übertragenes Recht aus, die von den Behörden in der damaligen Epoche abgeschlossenen Kontrakte aufs neue zu prüfen, und, im Falle ihrer Unrichtigkeit, zu reformiren. Durch ihren Beruf, Vorschläge zur Deckung der Kosten der Militärverpflegung, seit dem 16. Juni, zu machen, wird sie gleichsam ein engerer Ausschuß des Departementalraths vom ganzen Landesbezirk.

In der kirchlichen Verfassung wurde nichts Wesentliches geändert.

Für die öffentliche Sicherheit errichtete man eine Landesgendarmerie.

Die Landwehr wurde zwar nach dem Frieden beurlaubt, allein der Stab und die Stämme der zum Administrationsbezirk gehörigen Bataillone beibehalten, und in verschiedene Stationsorte vertheilt.

In der Gesetzgebung und Gerichtsverfaſſung ſind ſeit dem Anfang des Jahrs 1814 einige Veränderungen vorgegangen, welche bemerkt zu werden verdienen.

Was in einem kurzen Ueberblick, über dieſe wichtigen Zweige der Staatsverfaſſung geſagt werden kann, wollen wir in folgenden Bemerkungen zuſammenfaſſen.

Die natürliche Folge der Einrückung der verbündeten Truppen in das dieſſeitige Land hätte, wie man vermuthen konnte, eine Stockung der Gerechtigkeitspflege ſeyn müſſen. Dieſe trat aber kaum für einen Augenblick ein, und es gehört zu den wohlthuenden Erſcheinungen und zu den Zeichen der fortſchreitenden Bildung der Völker, daß im furchtbarſten Getümmel des Krieges die Richter ſich durch Aſiaten und ferne Völker, welche ſelbſt die Sitzungshäuſer umſchwärmten, in dem erhabenen Berufe geſchützt und ſogar in der Vollziehung ihrer Sprüche, zur Erhaltung der Ordnung und Ruhe, unterſtützt ſahen. Die höchſte Gerichtsſtelle dieſer Länder, der Appellationshof zu Trier, ſaß, mit Ausnahme ſehr weniger ins Innere geflüchteten Glieder, ſelbſt an dem Tage zu Gericht, wo man vor den Thoren der Stadt ſich ſchlug, und am zweiten Tage des Einzuges.

Ein glücklicher Zufall verſpätete die Ankunft des Eilboten, der allen obrigkeitlichen Perſonen von Trier den unbedingten Befehl brachte, ſich nach Luxemburg, bei Strafe des Hochverraths, zu begeben. Dadurch wurde dem Lande eines der wichtigſten Inſtitute, der Appellationshof, erhalten, deſſen neue Bildung mit den größten Schwierigkeiten verbunden geweſen wäre.

Die nothwendige Folge der Verordnung vom 4. Februar, welche die deutſche Sprache wieder in ihre Rechte, auch bei den Gerichten, einſetzte, war der Abtritt und die Abdankung der französischen Richter, welche der deutschen Sprache nicht mächtig waren.

Das Wälderdepartement wurde zu dem Gerichtsbezirk des Appellationshofes geschlagen, da dessen Verbindung mit Metz unterbrochen war. Die in den Festungen Mainz und Luxemburg eingeschlossenen Gerichte erster Instanz ersetzte man für die Bezirke, indem man den Gerichten von Kaiserslautern und Echternach einsweilen ihre Verrichtungen übertrug. (Verordnungen vom 23ten Februar und 17ten März.) Erst nach der Uebergabe dieser Festungen wurde diese Attribution wieder aufgehoben. Dem Kreisgericht von Mainz blieb auch späterhin der von dieser Stadt getrennte Kreis Alzey zugetheilt.

An der Organisation des Appellhofs selbst fanden im Wesentlichen keine Abänderungen statt, ausser daß die Stelle eines ersten Präsidenten erledigt blieb, dessen Dienst die Kammerpräsidenten versahen. Um den Kassationshof zu ersetzen, wurde, jedoch erst ganz spät, so daß seine Wirksamkeit für das diesseitige Moselufer kaum eintreten konnte, zu Koblenz ein Revisionshof niedergesetzt. Doch wurden die Spezialgerichtshöfe aufgehoben, (Verordnung vom 7. Mai) und verordnet, daß in den Fällen, wo vorher Militärpersonen zugezogen werden mußten, die Richter ohne Geschwornen, jedoch mit Vorbehalt des Kassationsgesuches, in der Hauptsache zu erkennen hätten. Eben so veranlaßte die beschränktere Zahl der Räthe die Verordnung, daß in Zivilsachen aller Art die Zahl von fünf Räthen des Appellationshofes hinreichend sey, um zu urtheilen, da vorher in gewöhnlichen Rechtssachen (causes ordinaires) sieben dazu erforderlich waren. (Eben diese Verordnung).

An der Gesetzgebung selbst wurde, während der ersten Hälfte des Jahres 1814, fast nichts geändert, sowohl was die bürgerlichen als die peinlichen Gesetze betrifft. Die Abschaffung und Beschränkung fiskalischer Auflagen, so wie die Verordnungen vom 23ten Februar und 10ten März wegen gelinderer Bestrafung, Verzeihung und bedingter Verfolgung der in der ersten Unordnung nur allzuhäufig begangenen Forstverwüstungen sind nicht für Aenderungen im obigen Sinne zu rechnen.

Eine höchst zweckmäßige und die Grausamkeit bestehender peinlichen Gesetze mildernde Verfügung war aber die Verordnung vom 31ten März, wodurch die Brandmarkung nur auf lebenslängliche Strafen beschränkt, die Ausstellung am Pranger nicht mehr unbedingt und als nothwendige Folge mehrerer Strafen betrachtet, die Konfiskation abgeschafft, und den Richtern erlaubt wurde, bei Haus - und Erndtediebstählen auch nach Befinden blos Zuchtpolizeistrafen statt peinlicher auszusprechen.

Es ist nur strenge Billigkeit, wenn man behauptet, daß vielleicht wenige Länder in Deutschland waren, wo die Gerechtigkeitspflege sowohl, als die Justizbeamten selbst, so wenig durch Umwälzungen während eines Völkerkrieges, wie dieser war, gestört und gelähmt wurden.

Mit derselben Weisheit und Mäßigung enthielt sich die am 16ten Juni eingetretene Regierung alles Umsturzes der bestehenden Gesetz - und Gerichtsverfassung, und suchte blos zu erhalten, allmählich zu verbessern, und die Lücken auszufüllen, welche sich als nothwendige Folge der eintretenden Umstände zeigten. Es ist wohl keiner von den geringsten Ansprüchen, den sich eine vorbereitende Regierung auf den Dank der Völker dieser Provinzen erwerben konnte, wenn sie den unüberlegten Anfoderungen und dem unverständigen Geschrei um schnelle Abschaffung und Ausscheidung des fremden Rechtes widerstand. Auch hier zu Lande fanden sich wohl Ehrgeizige, welche aus selbstsüchtigen Absichten den Umsturz der Beamten-Hierarchie, und mißvergnügte Pro-

...eßkrämer, welche ein Gesetzes-Chaos verlangten, um die Rechtsstreite, welche sie nach Urtheil und Recht verloren hatten, wo möglich, noch einmal anzufangen, und nach einigen Jahren auch nach deutschen und römischen Rechten wieder zu verlieren. Allein die Sicherheit der Person und des Eigenthums, die erste und höchste Bedingung der Nationalbildung, des Nationalwohlstandes und der Nationalkraft ist selbst wieder bedingt durch die Gewißheit des Rechts. Nichts ist freilich leichter, als unter dem Beifallklatschen der Unverständigen zu dekretiren: „Der Code Na„poleon und was dazu gehört, gilt von morgen an nicht „mehr.“ Allein, wenn nicht zugleich sehr weise Uebergangsgesetze, zumal in einem Lande, wie dieses, verfaßt sind, so gleicht, wie Bauer in seiner Schrift: Ueber die Grenzen der Anwendbarkeit des Code Napoleon auf die während seiner Gültigkeit in deutschen Ländern entstandenen Rechtsverhältnisse, sonnenklar bewiesen hat, diese Art zu verfahren, derjenigen eines Arztes, der eine Amputation vornimmt, und es nun, ohne Verband und Pflege, darauf wagt, ob die Heilung von selbst erfolge, oder ob gefährliche Zufälle eintreten, die durch ein regelmäßigeres Verfahren hätten vermieden werden können.

So war dann auch der erste Schritt der neuen Regierung mit dem Stempel der Mäßigung und Gerechtigkeitsliebe bezeichnet, indem solche ohne Störung den bisherigen Rechtsgang bestehen ließ, und in der Gesetzgebung selbst für's erste nur Milderungen einführte.

Die Maßregel des Generalgouvernements vom Nieder- und Mittelrhein, wodurch die Gemeinschaft der Justizpflege zwischen beiden Moselufern aufgehoben wurde, mußte jedoch nothwendig eine Anordnung veranlassen, um diesseits die

19

Justizpflege zu ergänzen. Diese erfolgte unter dem 24ten September, indem

1) die Kompetenz des Appellationshofes zu Trier auf den diesseitigen Bezirk allein beschränkt,

2) die des Kreisgerichtes Trier ebenfalls in Ansehung der Gemeinden des rechten Moselufers erhalten,

3) die des Revisionsgerichtes zu Koblenz für die diesseitigen Gemeinden aufgehoben,

4) die Kantone Boppard, Treis und Zell dem Kreisgerichte von Simmern zugetheilt, und

5) die Appellation von allen Zuchtpolizei-Urtheilen dem Appellationshofe zu Trier zugewiesen wurde.

Es blieb nunmehr die Nothwendigkeit übrig, für eine Kassationsinstanz zu sorgen. Die Errichtung eines eignen obersten Hofes in einem provisorischen Zustande, dessen Dauer ungewiß ist, würde mit großen Kosten und einer nothwendigen Vermehrung des Personale der Beamten verbunden gewesen seyn, ohne andere Schwierigkeiten in Anschlag zu bringen. Es kam also darauf an, nicht eine Ordnung zu gründen, welche in einem bestehenden Zustande die beste seyn möchte, sondern mit den möglichst wenigen Inkonvenienzen im gegebenen Falle den Rechtsbetheiligten eine Instanz zu sichern, vor welcher sie, besonders in peinlichen Kassations-gesuchen, da alles die Seltenheit derselben in Civilprozessen vermuthen ließ, die ihnen durch die Gesetze zugestandenen Rechtsvortheile erhalten könnten.

Diese Aufgabe wurde durch die Verordnung vom 10ten Oktober so befriedigend und so wenig kostspielig, als es unter den vorhandenen Umständen nur möglich war, gelöst. Es wurde nemlich die Aburtheilung der Kassationsgesuche dem Appellationshofe in Civil-, Polizei-, Zuchtpolizei- und peinlichen Sachen dergestalt beigelegt, daß in jedem vorkom-menden Falle neun Räthe, und ein Glied des Parquets,

von denen keiner zum angegriffenen Urtheile mitgewirkt haben darf, die Revisionskammer bilden. In Civil-, Polizei-
und Zuchtpolizeifällen spricht die Revisionskammer in der
Hauptsache, in peinlichen verweiset sie an einen andern
Assisenhof, und in Fällen, wo ein Urtheil der Anklagskam-
mer vernichtet wird, übt sie die Attributionen der Anklags-
kammer aus, verfährt übrigens nach den Formen des Kassa-
tionsgerichts, blos mit der Beschränkung, daß in Civilsachen
kein vorläufiges Urtheil (jugement d'admission) statt findet.

Um die Räthe am Appellationshofe in den Stand zu
setzen, mit der Hälfte des vorigen Personale die Geschäfte
zu bestreiten, wurde verordnet, daß der Vorsitz am Assisen-
hofe ausser Trier den Präsidenten der Kreisgerichte, zu Trier
aber einem Appellationsrathe übertragen werden könne. Aus
eben diesem Grunde erhielt die Zuchtpolizei-Appellations-
kammer beim Appellationshofe die Befugniß, auch gewöhn-
liche Civilprozesse (causes ordinaires) zu entscheiden.

Eine Verordnung vom 6ten Oktober hatte durch Errichtung einer Landesgendarmerie die öffentliche Sicherheit und
die Vollziehung der gerichtlichen Polizeimasregeln gesichert.

Damit auch der Arme des Schutzes der Gerichte in gleichem Maase genieße, wie der Vermögende, wurde durch die
Verordnung vom 19ten November ein Armenrecht in Civilsachen auf billige und gerechte Weise gegründet, und dadurch
eine Lücke in der vorigen Gesetzgebung ausgefüllt.

Aber eine nicht genug zu erkennende Wohlthat, welche
das Interesse der Verwalteten, so wie zugleich das der Regierung in gleichem Grade beförderte, ist die Verordnung
vom 30ten Juli, nebst den zu ihrer Vollständigmachung gehörigen mannichfaltigen Verfügungen über das Forstwesen
(Amtsblatt Nr. 11, 21, 23, 28, 29, u. s. w.) und die
Forstgerichte. Die Erfahrung hat bereits die überzeugend-
sten Beweise geliefert, wie viel einfacher, wohlfeiler und

zweckmäßiger es war, die Bestrafung der Forstfrevel, mit
Milderung und genauerer Bestimmung ihrer Beweismittel
und ihrer Bestrafung, den Friedensrichtern zu übertragen,
welche jeden Monat einmal ein Forstgericht halten, und mit
Vermeidung der vorherigen kostspieligen, weitschweifenden
und chikanen- und formvollen Verfahrungsweise den Forstfrevler schnell und sicher bestrafen, ohne ihn jedoch gleich,
wie es vorher der Fall war, zu Grund zu richten. Durch
die den Forstbeamten zugeschriebene Mitwirkung bei der
Verfolgung ist auch der Partheilichkeit und mißverstandenen
Nachsicht ein Zügel angelegt.

Dadurch, und durch die den Friedensrichtern ebenfalls
in Ansehung der Salz-, Steinkohlen- und Glaswaaren-
Einschwärzungen übertragenen Attributionen haben diese eine
weitere Ausdehnung ihrer Kompetenz erhalten, ohne daß
dadurch ihre übrigen Geschäfte leiden; die Kreisgerichte sind
dagegen einigermaßen erleichtert, so wie auch der Appellationshof, welche alle, unter der vorigen Verfassung, sich
mit diesen kleinlichen, mit der nemlichen Weitläufigkeit und
Förmlichkeit, wie wichtige Vergehen, verhandelten Freveln
beschäftigen mußten, woraus für den Beschuldigten selbst
kein Gewinn erwuchs, als lange Plaidoyerien und große
Kosten, während die Würde der Gerichte und Gerichtshöfe
darunter litt. In der That scheint diese zu gewinnen, wenn
sie der Untersuchung unbedeutender fiskalischer Vergehungen
überhoben sind.

Dies sind etwa die hauptsächlichsten Veränderungen in
der gerichtlichen Organisation und der Prozedur.

In der Gesetzgebung selbst wurde im Wesentlichen auch
nur das verändert, was die veränderte Lage der Dinge ge-
bietend erheischte. Was die Civil- und peinliche Gesetz-
bücher betrifft, so fanden nur mildernde Modifikationen
statt. So wurde

1) durch die gegebene Erlaubniß, den Art. 463 des Straf-
gesetzbuches auch auf Forstfrevelstrafen anzuwenden,
(Verordn. vom 26. August) die Möglichkeit eröffnet,
einige Hinsicht auf mildernde Umstände eintreten zu
lassen, und

2) zugleich die Bestrafung solcher Forstfrevler in gehöri-
gem Maaße gesichert, welche vorher eben wegen der
unverhältnißmäßigen Strenge oft der Ahndung ent-
giengen.

In der Civilgesetzgebung wurde das nur durch die Ver-
dorbenheit einer verbildeten Hauptstadt und religiöse Vor-
urtheile veranlaßte, und auch dadurch nicht zu rechtfertigende
unbedingte Verbot der Heirathen zwischen verschwägerten
Personen durch die Verordnung vom 1ten November 1814
mit angemessenen Bestimmungen blos für bedingt er-
klärt, und eine zweite Verordnung vom 17ten Jänner 1815
sorgte für Verbesserung und Sicherstellung des Standes der
aus solchen Verbindungen bisher entsprungenen Kinder,
deren Anerkennung und Legitimation nach der bestandenen
französischen Gesetzgebung vorher unmöglich war, auf die
gerechteste und umsichtigste Weise.

Dagegen erhielt die Regierung (Verordn. vom 8. Sept.
1814) troz der gemachten Versuche, dessen Abschaffung zu
erhalten, das Verbot des 228ten Artikels des bürgerlichen
Gesetzbuchs in Ansehung der Wiederverheirathung der Wittwe vor Verlauf einer zehenmonatlichen Frist.

Diese kurze Darstellung wird hinreichen, um zu bewei-
sen, wie gemäßigt, erhaltend und rechtlich, mit welchem
wahrhaft landesväterlichem Sinne bisher für die Gerechtigkeitspflege gesorgt worden.

Der Raum dieses Jahrbuchs erlaubt nicht, uns über
alle Theile der Staatsverfassung und Verwaltung umständ-
lich zu verbreiten, und die sämmtlichen Anordnungen der

jetzigen Landesadminiſtration mit erläuternden Bemerkungen auseinander zu ſetzen. Es würde uns leicht ſeyn, die Thatſachen, die wir anführen könnten, zum Beweis dienen zu laſſen, daß die Weisheit und Thätigkeit, der Geiſt der Mäßigung, Umſicht und Gerechtigkeit, die dieſe Adminiſtration unter allen Verhältniſſen geleitet, ihr dauernde Anſprüche auf die Erkenntlichkeit der Landesbewohner zuſichert. Mit Recht darf man behaupten: Das Gute, das ſie fand, hat ſie zu erhalten geſucht, und manches Nachtheilige durch beſſere Einrichtungen erſetzt. Nützliches wurde von ihr befördert und mit Wärme unterſtützt. Wo es auſſer den Grenzen ihrer Macht gelegen, allgemein gewünſchte Reformen oder neue Inſtitutionen durchzuſetzen, wo ſie dem Drang der Umſtände nachzugeben gezwungen war, und Laſten beſtehen laſſen mußte, welche die Zeit herbeigeführt, da hat ſie Milderungen eintreten laſſen, welche die Achtung für die Männer, denen das Wohl eines intereſſanten Landſtrichs in einer ſchwierigen Epoche anvertraut wurde, nur vermehren können.

Januar.

Katholischer Neuer.		Ev. Verbef.	☾ brüche.
S.	1 Neujahr	Neujahr	
M.	2 Makarius ☾	Abel, Seth	Letztes Viertel den 2. um 8 U. 54 Min. Nachmitt.
D.	3 Genofeva	Enoch	
M.	4 Titus B.	Isabella	
D.	5 Teleſepho	Simeon	
F.	6 Heil. 3 Kön.	Erſch. Chriſti	
S.	7 Raymund	Raymund	
S.	8 1 Epiph.	1 n. Epiphan.	
M.	9 Marcellinus ●	Martialis	Neumond den 10. um 2 U. 40 M. Nachmittags.
D.	10 Paul Einſ.	Paul Einſ.	
M.	11 Hyginius	Mathilda	
D.	12 Erneſtus	Reinhold	
F.	13 Hilarius B.	Hilarius	
S.	14 Felix Pr.	Felix	
S.	15 2 Nam. Jeſ.	2 n. Epiph.	
M.	16 Marcellus	Marcellus	
D.	17 Anton	Anton	
M.	18 Prisca J. ☽	Prisca	Erstes Viertel den 18. um 4 U. 43 Min. Nachmitt.
D.	19 Polykarpus	Sara	
F.	20 Fab. Seb.	Fab. Seb.	
S.	21 Agnes J.	Agnes	
S.	22 Septuageſ.	Septnageſ.	
M.	23 Verm. Mar.	Emerentia	Vollmond den 24. um 10U. 31M. Vorm
D.	24 Timotheus ☉	Timotheus	
M.	25 Pauli Bek.	Pauli Bek.	
D.	26 Canutus	Polykarpus	
F.	27 Joh. Chryſ.	Joh. Chryſ.	
S.	28 Carolus M.	Carolus	
S.	29 Sexageſimá	Sexageſimá	
M.	30 Adelgunda	Adelgunda	
D.	31 Virgilius	Virgilius	

Aufgang der Sonne.	Untergang der Sonne.
Den 6. um 8 Uhr 1 Min.	Den 6. um 3 Uhr 59 Min.
— 13. — 7 — 54 —	— 13. — 4 — 6 —
— 20. — 7 — 46 —	— 20. — 4 — 14 —
— 27. — 7 — 36 —	— 27. — 4 — 24 —

1

Februar.

Katholischer Neuer.			Ev. Verbes.	Cbrische.
M.	1	Jgnatius F. ☾	Brigitta	Letztes Viertel den 1. um 5 Uhr 44 Min. Früh.
D.	2	Maria Lichtm.	Mar. Reinig.	
F.	3	Blasius	Blasius	
S.	4	Veronika	Veronika	
S.	5	Quinquages.	Estomihi	
M.	6	Dorethea	Dorothea	
D.	7	Fastnacht	Fastnacht	
M.	8	Aschermittw. F.	Aschermittw.	
D.	9	Apolonia ●	Apolonia	Neumond den 9 um 10 Uhr 15 Min. Vormittags.
F.	10	Scholastika	Scholastika	
S.	11	Euphrosina	Euphrosina	
S.	12	1 Invocavit	1 Invocav.	
M.	13	Jordan	Jordan	
D.	14	Valentin	Valentin	
M.	15	Quatemb. F.	Faustinus	
D.	16	Juliana	Juliana	
F.	17	Donatus F. ☽	Constantia	Erstes Viertel den 17. um 5 Uhr 29 Min. Früh.
S.	18	Simon B. F.	Conforbia	
S.	19	2 Reminisc.	2 Remin.	
M.	20	Eucharius	Eucharius	
D.	21	Eleonora	Eleonora	
M.	22	Pet. Stulf.	Petr. Stulf.	
D.	23	Eberhard F. ☉	Reinhard	Vollmond den 23. um 8 Uhr 59 Min. Ab.
F.	24	Mathias	Mathias	
S.	25	Victorinus	Victorinus	
S.	26	3 Oculi	3 Oculi	
M.	27	Leander	Leander	
D.	28	Romanus	Renata	

Aufgang der Sonne.	Untergang der Sonne.
Den 3. um 7 Uhr 25 Min.	Den 3. um 4 Uhr 35 Min.
— 10. um 7 Uhr 13 Min.	— 10. um 4 Uhr 47 Min.
— 17. um 7 Uhr 0 Min.	— 17. um 5 Uhr 0 Min.
— 24. um 6 Uhr 47 Min.	— 24. um 5 Uhr 13 Min.

März.

		Katholischer Neuer.		Ev. Verbes.	☾ brüche.
M.	1	Mitfasten	F.	Mitfasten	
D.	2	Simplicius	☾	Simplicius	Letztes Viertel den 2. um 10 Uhr 51 Min. Abends.
F.	3	Kunigunda		Kunigunda	
S.	4	Cosimirus		Adrianus	
S.	5	4 Lätare		4 Lätare	
M.	6	Teleta J.		Fridolinus	
D.	7	Thom. v. Aq.		Fe icitas	
M.	8	Joh. v. Gott.		Philomon	
D.	9	Franziska		40 Ritter	
F.	10	Kron. Chrf.		Alexander	
S.	11	Rosina	⚈	Rosina	Neumond den 11. um 3 Uhr 5 M. Morg.
S.	12	5 Judica		5 Judica	
M.	13	Ernestus		Ernestus	
D.	14	Mathildis		Zacharias	
M.	15	Longinus		Christoph	
D.	16	Heribertus		Henrietta	
F.	17	7 Schm. Mar.		Gertraud	
S.	18	Cyrillus	☽	Anshelm	Erstes Viertel den 18. um 2 Uhr 47 M. Nachmit.
S.	19	6 Palmsonnt.		6 Palmsonnt.	
M.	20	Joachim		Hubertus	
D.	21	Benedict		Benedict	Den 21. Frühl. Anfang.
M.	22	Octavian		Casimir	
D.	23	Gründonn.		Grundonn.	
F.	24	Charfreytag		Charfreytag	
S.	25	Mar. Verk.	☉	Mar. Verk.	Vollmond den 25. um 7 Uhr 23 Min. Morgens.
S.	26	H. Osterfest		H. Osterfest	
M.	27	Ostermont.		Ostermont.	
D.	28	Guntram		Malchus	
M.	29	Malchus		Eustachius	
D.	30	Quirinus		Guido	
F.	31	Balbina J.		Romanus	

Aufgang der Sonne.

Den 2. um 6 Uhr 35 Min.
— 9. um 6 Uhr 22 Min.
— 16. um 6 Uhr 8 Min.
— 23. um 5 Uhr 55 Min.
— 30. um 5 Uhr 42 Min.

Untergang der Sonne.

Den 2. um 5 Uhr 25 Min.
— 9. um 5 Uhr 38 Min.
— 16. um 5 Uhr 52 Min.
— 23. um 6 Uhr 5 Min.
— 30. um 6 Uhr 18 Min.

Katholischer Neuer.			Ev. Verbef.	Mondbrüche.
S.	1 Hugo B.	☽	Theodora	rechtes Viertel den 1. um 5 Uhr 51 Min. Abends.
S.	2 1 Quasimod.		1 Quasimod.	
M.	3 Reinhard		Resimunda	
D.	4 Isiderus		Ambrosius	
M.	5 Vincentius		Maximus	
D.	6 Sirtus P.		Irenäus	
F.	7 Luise		Luise	
S.	8 Amantius		Apolonius	
S.	9 2 Mis. Dom.	●	2 Mis. Dom.	Neumond den 9. um 7 Uhr 3 Min. Ab.
M.	10 Macarius		Daniel	
D.	11 Leo I. Pabst		Julius	
M.	12 Julius		Eustorgius	
D.	13 Hermengil		Patrizius	
F.	14 Lampertus		Tiburtius	
S.	15 Olympius		Olympius	
S.	16 3 Jubilate	☾	3 Jubilate	Erstes Viertel den 16. um 10 Uhr 5 M. Abends.
M.	17 Rudolph		Rudolph	
D.	18 Eduard		Valerian	
M.	19 Werner		Hermogen	
D.	20 Sulpitius		Sulpitius	
F.	21 Anselmus		Adolarius	
S.	22 Sother		Sother	
S.	23 4 Cantate	☉	4 Cantate	Vollmond den 23. um 6 U. 1 M. Ab.
M.	24 Adalbert		Albertus	
D.	25 Markus Ev.		Markus	
M.	26 Cletus P.		Cletus	
D.	27 Anastasius		Anastasius	
F.	28 Vitalis		Vitalis	
S.	29 Sybilla	�། F.	Sybilla	
S.	30 5 Rog. † Woche.		5 Rogate	

Aufgang der Sonne.

Den 6. um 5 Uhr 28 Min.
— 13. um 5 Uhr 15 Min.
— 20. um 5 Uhr 3 Min.
— 27. um 4 Uhr 50 Min.

Untergang der Sonne.

Den 6. um 6 Uhr 32 Min.
— 13. um 6 Uhr 45 Min.
— 20. um 6 Uhr 57 Min.
— 27. um 7 Uhr 10 Min.

		Katholischer Neuer.	Ev. Verbef.	☾ brüche.
M.	1	Philipp Jakob	Philipp Jak.	
D.	2	Athanasius	Siegmund	
M.	3	† Erfindung	† Erfindung	
D.	4	Himmelf. Christi	Himmelf. Chr.	
F.	5	Gotthard	Gotthard	
S.	6	Joh. v. Pf.	Dietrich	
S.	7	6 Exaudi	6 Exaudi	
M.	8	Mich. Ersch.	Stanislaus	
D.	9	Greger. M. ●	Hiob Jobs	Neumond den 9. Morg. um 7 Uhr 4 Min.
M.	10	Gordian J.	Victoria	
D.	11	Beatrix	Adolphus	
F.	12	Pankratius	Pankratius	
S.	13	Servatius F.	Servatius	
S.	14	Pfingstfest	Pfingstfest	
M.	15	Pfingstmontag	Pfingstmontag	
D.	16	Joh. Nep. ☽	Peregrinus	Erstes Viertel d. 16. Morg. um 5 Uhr 31 Min.
M.	17	Quatember F.	Quatember	
D.	18	Venantius	Liborius	
F.	19	Petr. Cöl. F.	Potentian	
S.	20	Bernhard F.	Athanasius	
S.	21	1 Pf. Dreif.	Trinitatis	
M.	22	Juliana	Helena	
D.	23	Desiderius ☉	Desiderius	Vollmond den 23. früh um 5 Uhr 37 Min.
M.	24	Johanna	Esther	
D.	25	Frohnleichnam	Urbanus	
F.	26	Phil. Ner.	Beda	
S.	27	Joh. P. M.	Lucianus	
S.	28	2 n. Pfingstf.	1 n. Trinitat.	
M.	29	Maximinus	Christiana	
D.	30	Felix P.	Wigand	Letztes Viertel den 31. früh um 6 Uhr 49 Min.
M.	31	Petronella ☾	Petronella	

Aufgang der Sonne.	Untergang der Sonne.
Den 4. um 4 Uhr 39 Min.	Den 4. um 7 Uhr 21 Min.
— 11. um 4 Uhr 28 Min.	— 11. um 7 Uhr 32 Min.
— 18. um 4 Uhr 18 Min.	— 18. um 7 Uhr 42 Min.
— 25. um 4 Uhr 10 Min.	— 25. um 7 Uhr 50 Min.

		Katholischer Neuer.	Ev. Verbeſ.	☾ brüche.
D.	1	Frohnl. Octav	Nikodemus	
F.	2	Erasmus	Marquard	
S.	3	Clotildis	Erasmus	
S.	4	3 n. Pf.	2 n. Trinit.	
M.	5	Bonifacius	Bonifacius	
D.	6	Robertus	Benignus	
M.	7	Robertus ●	Lukrezia	Neumond den 7. Nachm. um 4 Uhr 53 Min.
D.	8	Medardus	Medardus	
F.	9	Primus F.	Primus	
S.	10	Margaretha	Onophrius	
S.	11	4 n. Pf.	3 n. Trinit.	
M.	12	Baſilides	Baſilides	
D.	13	Ant. v. Pad.	Tobias	
M.	14	Baſilius ☽	Antonia	Erſtes Viertel den 14 Vorm. um 8 Uhr 34 Min.
D.	15	Vitus M.	Vitus	
F.	16	Luitgarde J.	Juſtina	
S.	17	Adolphus	Volkmar	
S.	18	5 n. Pf.	4 n. Trinit.	
M.	19	Gervaſius	Gervaſius	
D.	20	Sylverius	Sylverius	
M.	21	Aloyſius ☉	Albanus	Vollmond den 21. Abends um 6 Uhr 42 Min.
D.	22	Achatius	Achatius	
F.	23	Edeltrud F.	Baſilius	
S.	24	Joh. d. Täufer	Joh. d. Täufer	
S.	25	6 n. Pf.	5 n. Trinit.	
M.	26	Joh. Paul	Jeremias	
D.	27	Ladislaus	Philippina	
M.	28	Leo II. Pabſt F.	Leo Joſua	Letztes Viertel d. 30 Abends um 10 Uhr 25 Min.
D.	29	Pet. Paul	Petr. Paul	
F.	30	Paul Ged. ☾	Paul Ged.	

Aufgang der Sonne.	Untergang der Sonne.
Den 1. um 4 Uhr 2 Min.	Den 1. um 7 Uhr 58 Min.
— 8. um 3 Uhr 57 Min.	— 8. um 8 Uhr 3 Min.
— 15. um 3 Uhr 54 Min.	— 15. um 8 Uhr 6 Min.
— 22. um 3 Uhr 53 Min.	— 22. um 8 Uhr 7 Min.
— 29. um 3 Uhr 54 Min.	— 29. um 8 Uhr 6 Min.

Juli.

		Katholischer Neuer.	Ev. Verbeſ.	☾brüche.
S.	1	Theobaldus	Theobald	
S.	2	7 n. Pf. Mar. Heim.	6 n. Trinit.	
M.	3	Eulogius	Cornelius	
D.	4	Ulrich B.	Ulrich	
M.	5	Eliſabeth	Charlotte	
D.	6	Eſaias	Eſaias	
F.	7	Willibald ●	Willibald	Neumond den 7. früh um 12 Uhr 31 M.
S.	8	Kilianus	Kilian	
S.	9	8 n. Pf.	7 n. Trinit.	
M.	10	7 Brüder	Jacobina	
D.	11	Pius, Papſt	Pius	
M.	12	Joh. Gual.	Heinrich	
D.	13	Heinrich ☽	Margaretha	Erſtes Viertel den 13. Nach; mit. um 2 Uhr 55 Min.
F.	14	Bonaventura	Bonaventura	
S.	15	Apoſt. Theil.	Apoſt. Theil.	
S.	16	9 n. Pfingſt.	8 n. Trinit.	
M.	17	Alexius	Alexius	
D.	18	Friederikus B.	Maternus	
M.	19	Arſenius	Ruſina	
D.	20	Elias	Elias	
F.	21	Daniel Pr. ☉	Praxedes.	Vollmond den 21. Vormit. um 9 U. 15 Min.
S.	22	Mar. Magd.	Mar. Magd.	
S.	23	10 n. Pfingſt.	9 n. Trinit.	
M.	24	Chriſtina F.	Chriſtina	
D.	25	Jakobus	Jakobus	
M.	26	Anna	Anna	
D.	27	Pantaleon	Martha	
F.	28	Innocenz	Pantaleon	
S.	29	Martha ☾	Beatrix	Letztes Viertel den 29 Vorm. um 11 Uhr 45 Min.
S.	30	11 n. Pfingſt.	10 n. Trinit.	
M.	31	Ignaz. Lojola	Thraſibulus.	

Aufgang der Sonne.	Untergang der Sonne.
Den 6. um 3 Uhr 58 Min.	Den 6. um 8 Uhr 2 Min.
— 13. um 4 Uhr 3 Min.	— 13. um 7 Uhr 57 Min.
— 20. um 4 Uhr 11 Min.	— 20. um 7 Uhr 49 Min.
— 27. um 4 Uhr 20 Min.	— 27. um 7 Uhr 40 Min.

		Katholischer Neuer.	Ev. Verbef.	☾ brüche.
D.	1	Petri Kettenfeier	Petri Kettenf.	
M.	2	Portiuncula	Gustav	
D.	3	Steph. Erfind.	August	
F.	4	Dominikus	Dominikus	
S.	5	Maria Schn. ●	Oswald	Neumond den 5. Vorm. um 7 U. 51 Min.
S.	6	12 n. Pfingst.	11 n. Trinit.	
M.	7	Cajetanus	Ulrika	
D.	8	Cyriakus	Cyriakus	
M.	9	Domitian	Erikus	
D.	10	Laurentius	Laurentius	
F.	11	Susanna ☽	Herrmann	Erstes Viertel d. 11. Nachts um 11 Uhr 56 Min.
S.	12	Klara	Klara	
S.	13	13 n. Pfingst.	12 n. Trinit.	
M.	14	Eusebius F.	Eusebius	
D.	15	Maria Himmelf.	Mar. Himmelf.	
M.	16	Rochus	Isaac	
D.	17	Liberatus	Augusta	
F.	18	Helena	Agapitus	
S.	19	Sebald	Sebald	
S.	20	14 n. Pfingst. ☉	13 n. Trinit.	Vollmond den 20. Morgens um 12 Uhr 53 Min.
M.	21	Cyriaka J.	Hartwig	
D.	22	Symphor	Symphor	
M.	23	Phil. P.	Zachäus	
D.	24	Bartholomäus	Bartholomäus	
F.	25	Ludwig	Ludwig	
S.	26	Samuel	Samuel	
S.	27	15 n. Pfingst. ☾	14 n. Trinit.	Letztes Viertel d. 27. Nachts um 11 Uhr 4 Min.
M.	28	Augustinus	Augustin	
D.	29	Johann. Enth.	Joh. Enth.	
M.	30	Rosa J.	Rebecca	
D.	31	Raymund	Paulinus	

Aufgang der Sonne.	Untergang der Sonne.
Den 3. um 4 Uhr 30 Min.	Den 3. um 7 Uhr 30 Min.
— 10. um 4 Uhr 40 Min.	— 10. um 7 Uhr 20 Min.
— 17. um 4 Uhr 53 Min.	— 17. um 7 Uhr 7 Min.
— 24. um 5 Uhr 5 Min.	— 24. um 6 Uhr 55 Min.

September.

		Katholischer Neuer.	Ev. Verbeſ.	☾brüche.
F.	1	Egydius	Egydius	
S.	2	Stephan K.	Abſolon	
S.	3	15 n. Pfingſt. ●	15 n. Trinit.	Neumond den 3. Nachm. um 3 U. 4 M.
M.	4	Roſalia	Moſes	
D.	5	Victorinus	Herkules	
M.	6	Zacharias	Magnus	
D.	7	Regina	Regina	
F.	8	Mariä Geburt	Mar. Geburt	
S.	9	Gorgonius	Gorgonius	
S.	10	17 n. Pfingſt. ☽	16 n. Trinit.	Erſtes Viertel den 10. Mittags um 12 Uhr 42 Min.
M.	11	Protus	Protus	
D.	12	Tobias	Syrus	
M.	13	Mariſius	Amatus	
D.	14	† Erhöhung.	† Erhöhung	
F.	15	Regerius	Nikodemus	
S.	16	Corn. Cyp.	Euphemia	
S.	17	18 n. Pfingſt.	17 n. Trinit.	Vollmond den 13. Nachmittag um 4 U. 56 Min.
M.	18	Thom. V. ☉	Titus	
D.	19	Januarius	Mikleta	
M.	20	Quatember F.	Quatember	
D.	21	Mathäus	Mathäus	
F.	22	Mauritius F.	Mauritius.	
S.	23	Thekla J. F.	Thekla	
S.	24	19 n. Pfingſt.	18 n. Trinit.	Letztes Viertel den 26. Vorm. um 6 U. 40 M.
M.	25	Cleophas	Cleophas	
D.	26	Cyprian ☾	Cyprian	
M.	27	Coſm. Damian.	Coſm. Damian.	
D.	28	Wenzeslaus	Wenzeslaus	
F.	29	Michael	Michael	
S.	30	Hieronymus	Hieronymus	

Aufgang der Sonne.

Den 7. um 5 Uhr 30 Min.
— 14. um 5 Uhr 43 Min.
— 21. um 5 Uhr 56 Min.
— 28. um 6 Uhr 9 Min.

Untergang der Sonne.

Den 7. um 6 Uhr 30 Min.
— 14. um 6 Uhr 17 Min.
— 21. um 6 Uhr 4 Min.
— 28. um 5 Uhr 51 Min.

Katholischer Neuer.	Ev. Verbef.	☾ brüche.
S. 1 20 Rosenkranzfest	19 n. Trinit.	
M. 2 Leodegarius ●	Leodegarius	Neumond den 2. Nachts um 11 Uhr 39 M.
D. 3 Candidus	Jairus	
M. 4 Franziskus	Franziskus	
D. 5 Placidus	Placidus	
F. 6 Bruno	Fides	
S. 7 Markus P.	Amalia	
S. 8 21 n. Pfingst.	20 n. Trinit.	
M. 9 Dionysius	Dionysius	
D. 10 Franzisk. Bor. ☽	Gideon	Erstes Viertel den 10. früh um 5 Uhr 52 Min.
M. 11 Emilian	Burkhard	
D. 12 Maximilian	Maximilian	
F. 13 Colomann	Colomann	
S. 14 Burkhard	Calirtus	
S. 15 22 n. Pfingst.	21 n. Trinit.	
M. 16 Gallus	Gallus	
D. 17 Hedwig	Florentina	
M. 18 Lukas Ev. ☉	Lukas	Vollmond den 18. Vormit. um 8 U. 49 Min.
D. 19 Ferdinand	Ferdinand	
F. 20 Wendelina	Wendelina	
S. 21 Ursula	Ursula	
S. 22 23 n. Pfingst.	22 n. Trinit.	
M. 23 Severinus	Severinus	
D. 24 Raphael	Salome	
M. 25 Chris. Dem. ☾	Wilhelmina	Letztes Viertel den 25. Nachmittags um 4 U. 43 Min.
D. 26 Evaristus	Amandus	
F. 27 Sabina	Sabina	
S. 28 Sim. Judä	Sim. Judä	
S. 29 24 n. Pfingst.	23 n. Trinit.	
M. 30 Marcellus	Hartmann	
D. 31 Wolfgang F.	Wolfgang	

Aufgang der Sonne.

Den 6. um 6 Uhr 25 Min.
— 12. um 6 Uhr 36 Min.
— 19. um 6 Uhr 50 Min.
— 26. um 7 Uhr 2 Min.

Untergang der Sonne.

Den 6. um 5 Uhr 35 Min.
— 12. um 5 Uhr 24 Min.
— 19. um 5 Uhr 10 Min.
— 26. um 4 Uhr 58 Min.

November.

		Katholischer Neuer.		Ev. Verbes.	☾ brüche.
M.	1	Aller Heilig. ●	Aller Heilig.	Neumond den 1. Novem. um 10 Uhr 18 Min.
D.	2	Aller Seelen	Aller Seelen	
F.	3	Hubertus	Gottlieb	
S.	4	Car. Borr.	Emerikus	
S.	5	25 n. Pf.	24 n. Trinit.	
M.	6	Leenhard	Leonhard	
D.	7	Engelbert	Erdmann	
M.	8	Gottfried	4 Gekrönte	
D.	9	Theodorus ☽	Theoder	Erstes Viertel den 9. Morg. um 1 Uhr 16 Min.
F.	10	Probus	Probus	
S.	11	Martin B.	Martin	
S.	12	26 n. Pf.	25 n. Trinit.	
M.	13	Stanislaus	Briccius	
D.	14	Seraphia	Levinus	
M.	15	Leopold	Leopold	
D.	16	Edmund ☉	Ottmar	Vollmond den 16. Nachts um 11 Uhr 51 Min.
F.	17	Gregorius	Hugo	
S.	18	Pet. Kirchw.	Otto Eug.	
S.	19	27 n. Pf.	26 n. Trinit.	
M.	20	Felir v. V.	Emilia	
D.	21	Mar. Opfer	Mar. Opfer	
M.	22	Cöcilia	Cöcilia	
D.	23	Clemens	Clemens	
F.	24	Chrysogen ☽	Chrysogen	Letztes Viertel d. 24. Morg. um 12. Uhr 16 Min.
S.	25	Catharina	Catharina	
S.	26	28 n. Pf.	27 n. Trinit.	
M.	27	Virgilius	Busso	
D.	28	Rufus	Günther	
M.	29	Saturnus	Noah	Neumond den 30 Nachts um 11 U. 35 Min.
D.	30	Andreas ●	Andreas	

Aufgang der Sonne.

Den 2. um 7 Uhr 15 Min.
— 9. um 7 Uhr 27 Min.
— 16. um 7 Uhr 38 Min.
— 23. um 7 Uhr 48 Min.
— 30. um 7 Uhr 55 Min.

Untergang der Sonne.

Den 2. um 4 Uhr 45 Min.
— 9. um 4 Uhr 33 Min.
— 16. um 4 Uhr 22 Min.
— 23. um 4 Uhr 12 Min.
— 30. um 4 Uhr 5 Min.

	Katholischer Neuer.		Ev. Verbeſ.	C brüche.
F.	1 Eligius B.		Longius	
S.	2 Bibiana J.		Aurelia	
S.	3 1 Advent		1 Advent	
M.	4 Barbara		Barbara	
D.	5 Sabbas		Abigail	
M.	6 Nikolaus		Nikolaus	
D.	7 Ambroſius		Agathon	
F.	8 Mar. Empf.	☽	Mar. Empf.	Erſtes Viertel den 8. Nachts um 10 Uhr 55 Min.
S.	9 Leocadia		Joachim	
S.	10 2 Advent		2 Advent	
M.	11 Damaſius		Damaſius	
D.	12 Epimachus		Epimachus	
M.	13 Luzia Ottilia		Luzia Ottilia	
D.	14 Nikaſius		Nikaſius	
F.	15 Irenäus		Ignatius	
S.	16 Adelheid	☉	Ananias	Vollmond den 16. Vormit. um 7 Uhr 52 Min.
S.	17 3 Advent		3 Advent	
M.	18 Gratianus		Wunibald	
D.	19 Nemeſius		Abraham	
M.	20 Quatemb. F.		Quatemb.	
D.	21 Thomas		Thomas	
F.	22 Zeno	F.	Beata	
S.	23 Victoria F.	☾	Dagobert	Letztes Viertel d. 23. Vorm. um 7 Uhr 52 Min.
S.	24 4 Advent		4 Advent	
M.	25 Geburt Chriſti		H. Chriſttag	
D.	26 Stephan		Stephan	
M.	27 Joh. Ev.		Joh. Ev.	
D.	28 Unſch. Kind.		Unſch. Kind.	
F.	29 Thom. B.		Jonathan	
S.	30 David K.	●	David	Neumond d. 30. Nachm. um 5 Uhr 54 Min.
S.	31 S. n. Ch. Geb.		S. n. Chriſt.	

Aufgang der Sonne.

Den 7. um 8 Uhr 2 Min.
— 14. um 8 Uhr 5 Min.
— 21. um 8 Uhr 7 Min.
— 28. um 8 Uhr 6 Min.

Untergang der Sonne.

Den 7. um 3 Uhr 58 Min.
— 14. um 3 Uhr 55 Min.
— 21. um 3 Uhr 53 Min.
— 28. um 3 Uhr 54 Min.

Genealogie

der

regierenden Häuſer von Oeſterreich und Baiern.

Oeſterreich.

Franz I., Erzherzog von Oeſterreich, geboren den 12. Februar 1768, König von Ungarn und Böhmen, Kaiſer von Oeſterreich ſeit dem 11. Auguſt 1804; Wittwer ſeit dem 19. Februar 1790 von Eliſabethe Wilhelmine Luiſe, Prinzeſſin von Würtemberg; Wittwer von zweiter Ehe ſeit dem 13. April 1807 von Marie Thereſe, Prinzeſſin von Sizilien; zum drittenmal verheirathet den 6. Jänner 1808 mit:

Marie Luiſe Beatrix, Erzherzogin von Oeſterreich, Königin von Ungarn und Böhmen, Kaiſerin von Oeſterreich, Tochter des verſtorbenen Erzherzogs Ferdinand, geboren den 14. December 1787.

Kinder.

Ferdinand Karl Leopold Franz Joſeph Creſcentius, kaiſerl. Prinz, Erzherzog von Oeſterreich, Kronprinz von Ungarn und Böhmen, geboren den 19. April 1793.

Franz Karl Joseph, geboren den 7. December 1802.

Marie Luise, geboren den 12. December 1791, Großherzogin von Parma und Piacenza.

Leopoldine Karoline Josephe, geboren den 22. Jänner 1797.

Marie Klementine Franziske Josephe, geboren den 1. März 1798.

Karoline Ferdinande Josephine Demetrie, geboren den 8. April 1801.

Marie Anne Franziske, geboren den 8. Juni 1804.

Geschwister des Kaisers.

Ferdinand Joseph Johann, geboren den 6. Mai 1769; Großherzog von Toskana; Wittwer seit dem 29. Sept. 1802 von Luise Amalie Therese von Sizilien.

Karl Ludwig, geboren den 5. September 1771.

Joseph Anton, Palatinus von Ungarn, geboren den 9. März 1776; Wittwer seit dem 16. März 1801 von Alexandra Paulowna, Großfürstin von Rußland.

Anton Viktor Joseph, geboren den 31. August 1779, Deutschmeister seit dem 20. Juni 1804.

Johann Baptist Joseph Fabian Sebastian, geboren den 20. Januar 1782.

Rainer Michel Franz Hieronymus, geboren den 30. September 1783.

Ludwig Joseph Johann, geb. den 13. December 1784.

Rudolph Johann Joseph, geb. den 8. Januar 1788.

Marie Therese Josephe Charlotte Johanne, geboren den 14. Januar 1767, vermählt den 18. Oktober 1787 mit dem Prinzen Anton Klemens, Bruder des Königs von Sachsen.

Baiern.

Maximilian Joseph, geboren den 27. Mai 1756, sukzedirte seinem Herrn Bruder als Herzog von Zweibrücken den 1. April 1795, wurde Kurfürst von Pfalz-Baiern den 16. Februar 1799. König von Baiern seit dem 1. Jänner 1806, Wittwer seit dem 30. Mai 1796 von Wilhelmine Auguste, Prinzessin von Hessen-Darmstadt, zum zweitenmal vermählt den 9. März 1797 mit:

Friederike Wilhelmine Karoline, Prinzessin von Baden und Hochberg, geboren den 13. Juli 1776.

Kinder.

Ludwig Karl August, Kronprinz von Baiern, geboren den 25. August 1786, vermählt den 12. Oktober 1810 mit Therese Charlotte Luise, Herzogl. Prinzessin von Sachsen-Hildburghausen, geboren den 8. Juli 1792.

Karl Theodor, Königl. Prinz von Baiern, geboren den 7. Juli 1795.

Auguste Amalie, geboren den 21. Juni 1788, vermählt den 13. Jänner 1806 mit dem Prinzen Eugen.

Charlotte Auguste, geboren den 8. Februar 1792, vermählt den 8. Juni 1808 mit Friedrich Wilhelm Karl, Kronprinzen von Würtemberg.

Maximilian Joseph Friedrich, geboren den 27. Oktober 1800, gestorben den 12. Februar 1803.

Elisabethe Ludovike, } Zwillinge,
Amalie Auguste, } geb. den 12. Nov. 1801.

Friederike Sophie Dorothe, } Zwillinge, geb.
Marie Anne Leopoldine, } d. 27. Jän. 1805.

Ludovike Wilhelmine, geboren den 30. August 1808.

Maximiliane Josephine Karoline, geboren den
21. Juli 1810.

Geschwister des Königs.

Marie Amalie Auguste, geboren den 10. Mai 1752,
vermählt den 17. Jänner 1769 mit Friedrich August,
König von Sachsen.

Marie Anne, geboren den 18. Juli 1753, vermählt mit
Wilhelm Herzog in Baiern den 30. Jänner 1780.

Kurfürstin Wittwe.

Marie Leopoldine, Prinzessin und Erzherzogin von
Oesterreich, geboren den 10. Dezember 1876, vermählt mit Karl Theodor, Kurfürsten von Pfalz-Baiern
den 15. Februar 1795, Wittwe seit dem 16. Februar
1799.

Die kaiserl. königl. österreichische und königl. baierische gemeinschaftliche Landes-Administrations-Kommission.

Präsidenten.

Herr Herrmann Freiherr von Heß, kaiserl. königl. österreichischer wirklicher geheimer Rath, oberster Landrichter im Markgrafthum Mähren, Präsident der Mährisch-Schlesischen Landrechte, bevollmächtigter Hofkommissär bei der vereinigten kaiserl. königl. österreichischen und königl. preußischen Administration der Stadt und Festung Mainz.

Herr Franz Xaver von Zwackh, königl. baierischer wirklicher geheimer Rath, außerordentlicher Gesandter und bevollmächtigter Minister bei den herzoglichen und fürstlichen Höfen von Nassau, Kommandeur des Ordens der königl. baierischen Krone.

2

Mitglieder.

Herr Wilhelm von Droß-
bick, kaiserl. königl. österreichischer Hofrath.

Herr Peter Moritz Mo-
ser Ritter von Mos-
hardt, kaiserl. königl.
österreichischer Bankalge-
fällen-Assessor.

Herr Christoph Hein-
rich von Sonnleith-
ner, kaiserl. königl. österreichischer erster Kreiskommissär.

Herr Georg von Knopp,
königl. baierischer Kriegs-
Oekonomie-Rath, Chef
der Administration des königl. baierischen mobilen
Armeekorps, und Ritter
des Ordens der baierischen
Krone.

Herr Karl Freiherr von
Stengel, königl. baieri-
scher Kreisrath und Armee-
Civilkommissär.

Herr Joseph Ludwig
Graf von Armans-
perg, königl. baierischer
Kämmerer, Kreisrath und
Armee-Civilkommissär.

Angestellte erster Klasse.

Herr Karl von Bernclau, Präsidialsekretär.
» Nik. Anton Damance, Sekretär 1ster Klasse.
» Wilhelm Emonts, Idem.
» Leonhard Gerlach, Kanzlei-Inspektor.
» Peter Anton Müller, Sekretär 1ster Klasse.
» Philipp Siebenpfeiffer, Idem.
» Ludwig Friedrich Volz, Idem.

Registratoren.

Herr Karl von Göbel.
» Bernhard Göhler.

Verzeichniß der Central=, Departemental= und Kreisbehörden, mit den Unterbehörden jeder Abtheilung.

A. In Hinsicht der Verwaltung, Polizei und Finanzen.

I. Die Kriegs=Schulden=Liquidations=Kommission.

Präsident, . . . Herr Karl Ruppenthal, von Trier.
Generalsekretär, » Karl Hahn, von Zweibrücken.
Mitglieder, Herr Anton Kurz, von Kirchheimboland.

(Kreis Alzei).

  » Peter Heuß, von Oggersheim.

(Kreis Speyer).

  » Wilhelm Fliesen, von Kaiserslautern.
  » Ludwig Weyerich, von Rhaunen.

(Kreis Birkenfeld.)

Mitglieder, Herr Joh. Georg Boye, von Ottweiler.

    » Karl Joseph Burret, von Koblenz.

    » Joh. Dominik Gayer, von Koblenz.

(Der Sitz der Kommission ist zu Kreuznach.)

II. Die administrative Justiz-kommission.

Präsident, ... Herr Karl Joseph Burret.

Räthe, ... » Wilhelm Fliesen.

    » Karl Ruppenthal.

Beigeordnete Räthe, » Ludwig Weyerich.

    » Karl Hahn.

Regierungskommissär, » Joh. Baptist Hitzfeld, Appel-lationsrath.

Substitut, . . . » Phil. Joseph Michell, Steuer-inspektor.

Sekretär, . . . » Joh. Peter Wekbecker.

(Der Sitz der Kommission ist zu Kreuznach.)

III. Die Kreisdirektionen.

Kreisdirektor zu Alzey,	Herr Wieger.
»　　» Speyer,	» Schönberger.
»　　» Kaiserslautern,	» Petersen.
»　　» Zweibrücken,	» Roos.
»　　» Trier,	» Gerhards.
»　　» Birkenfeld,	» Heußner.
»　　» Ottweiler,	» Karsch.
»　　» Simmern,	» Zeiller.
»　　» Koblenz,	» Burret, (dermalen

Präsident der administrativen Justizkommission; in dessen Abwesenheit ist Herr Mähler Amtsverweser der Kreisdirektion).

(Die Namen der Bürgermeister folgen bei dem Verzeichniß der Gemeinden.)

IV. Die öffentlichen Kassen.

General-Einnehmer zu Kreuznach,	Herr Karl Fliesen.
Kreis-Einnehmer zu Speier,	» Werner.
»	» Kaiserslautern,	» Gugel (Georg Anton).
»	» Zweibrücken,	» Geßner.
»	» Trier,	» Recking (Anton Joseph).
»	» Birkenfeld,	» Albringen.
»	» Ottweiler,	» Korn (Fr. Wilh.)
»	» Simmern,	» Brinckmann.
»	von Koblenz zu Boppard,	» Lasinsky.

(Die Namen der Steuer-Einnehmer folgen bei dem Verzeichniß der Gemeinden.)

V. Die Forstverwaltung.

Das Oberforstamt.

Oberforstmeister zu Kreuznach, Herr Albert von Schultze.
Forstsekretäre: die Herren Oberförster Utsch und Spangenberg.

Die Kreis-Forstmeistereien.

1) Die Kreis-Forstmeisterei Kirchheimboland.

(Begreift den Kreis Alzey und einen kleinen Theil des Kreises Kaiserslautern).

Kreisforstmeister zu Kirchheimboland, Herr von Dreßler.
Forstsekretär　　»　　　　»　　　　»　Kröber.
Forstvermesser　»　　　　»　　　　»　Parcus.

Oberförsterei Mainz.

Oberförster zu Mainz,　　Herr Brand.
Rechnungsführende Revier-
　　förster zu Mombach,　　»　Heim (Adam).
　Idem auf dem Jägerhaus,　»　Glassen.
　　　»　　»　Kühkopf,　　»　Neukirch.
　　　zu　Hamm,　　　　»　Jochim.
　　　»　Bingen,　　　　»　Bilhard.

Oberförsterei Kirchheimboland:

Oberförster zu Kirchheimboland, Herr Ostertag.
Rechnungsführende Revier-
förster daselbst,   Herr Weinkauf.
Idem zu Dannenfels,   » Gimbel (Friedrich).
  » Rothenkirchen,   » Deister.
  » Kriegsfeld,   » Laval (Jakob).
  » Schneeberg,   » Stadtmüller (Johann).
  » Wendelsheim,   » Haag.
  » Bechenheim,   » Demmer.

Oberförsterei Rockenhausen.

Oberförster zu Rockenhausen, Herr Engelmann.
Rechnungsführende Revier-
förster zu Imsbach,   Herr Lebersorg.
Idem zu Hauweiler,   » Ruf (der Aeltere).
  » Rockenhausen,   » Osterheld.
  » Stahlberg,   » Kropp.
  » Alsenz,   » Merk.
  » Ebernburg,   » Nonweiler.
  » Obermoschel,   » Bindewald.

2) Die Kreis-Forstmeisterei Neustadt.
(Begreift den Kreis Speyer).

Kreis-Forstmeister zu Neustadt, Herr Denis.
Forstsekretär daselbst,   » Volkhart.
Forstvermesser daselbst,   » Chelius.

Oberförsterei Speyer.

Oberförster zu Speyer, Herr Bühler.
Rechnungsf. Revierf. zu Bellheim, Hr. Niederreuther.

Rechnungsführende Revier-
förster zu Westheim, Herr Albrecht (Andreas).
Idem zu Germersheim, » Müller.
  » Mechtersheim, » Habermann (Sohn).
  » Schwegenheim, » Albrecht (Jakob).
  » Speyer, » Mohr (Vater).
  » Schifferstadt, » Niederreuther.
  » Otterstadt, » Schröder.
  » Haßloch, » Schmidt.
  » Offenbach, » Laubersheimer.

Oberförsterei Oggersheim.

Oberförster zu Oggersheim, Herr Nieß.
Rechnungsführende Revier-
förster zu Iggelheim, » Bohrer.
Idem zu Mutterstadt, » Nord.
  » Neuhofen, » Köhler.
auf dem Kanalhaus, » Monsel.
  » » Mittelbusch, » Thomas (Vater).

Oberförsterei Neustadt.

Oberförster zu Neustadt, Herr Roebel.
Rechnungsführende Revier-
förster zu Hambach, » Schell.
Idem zu Neidenfels, » Nieß (Sohn).
  » Deidesheim, » Walter.
  » Elmstein, » Giessen.
auf dem Revier Mückenwies, » Grimeisen.
zu Edesheim, » Simon (Michel).
  » Edenkoben, » Gleich.
  » St. Martin, » Haas.

Oberförsterei Dürkheim.

Oberförster zu Dürkheim, Herr Köhler.
Rechnungsführende Revier-

förster im Jägerthal,	(vacat).
Idem zu Dürkheim,	»	Dietzsch.
» Hardenburg,	»	Weinspach.
» Hönningen,	»	Nahm.
» Weisenheim,	»	Giesen.
» Wachenheim,	»	Osterheld.

3) Die Kreis-Forstmeisterei Kaiserslautern.

(Begreift den Kreis Kaiserslautern größtentheils, und einen kleinen
Theil des Kreises Zweibrücken).

Kreis-Forstmeister zu Kaiserslautern, Herr Rettig.
Forstsekretär daselbst,   » Ackermann.
Forstvermesser daselbst,   (vacat).

Oberförsterei Kaiserslautern Nro. 1.

Oberförster zu Kaiserslautern, Herr Amey.
Rechnungsführende Revier-

förster daselbst,	Herr Wittlange.
Idem zu Fischbach,	»	Müller.
» Waldleiningen,	»	Müller (Johann).
» Hochspeier,	»	Bingert.
» Frankenstein,	»	Hafen.
» Gutenbrunnen,	»	Weisenauer.
» Mölschbach,	»	Müller (Philipp).
» Geiselberg,	»	Seel (Philipp).
» Waldfischbach,	»	Pfersdorf (Friedrich).

Oberförsterei Kaiserslautern Nro. 3.

Oberförster zu Kaiserslautern, Herr Dauthieur.
Rechnungsführende Revier-

förster daselbst,	» Eikemeyer.
Idem daselbst,	» Jäckel.
daselbst,	» Keller.
auf dem Hagelgrund,	» Guckenbühl.
zu Hohenecken,	» Feld (Johann).
» Einsiedel,	» Candidus.
» Otterberg,	» Stauch.
» Ramstein,	» Feth.
» Spesbach,	» Seel (Philipp).

Oberförsterei Winnweiler.

Oberförster zu Winnweiler, Herr Schmidt.
Rechnungsführende Revier-

förster daselbst,	» Zahn.
Idem zu Rosenthal,	» Weisenäuer.
» Hemsbach,	» Schneider.
» Stauff,	» Dinkelberg.
» Ramsen,	» Simon (Georg).

Oberförsterei Lauterecken.

Oberförster zu Lauterecken, (der Rechnungsführende Revierförster Barth zu Wolfsstein versieht den Dienst).
Rechnungsführende Revier-

förster zu Heiligenmoschel, Herr Ferrary.

Idem zu Lauterecken,	» Barth (Christian).
» Wolfstein,	» Barth (Heinrich).
» Odernheim,	» Lehr.
» Reipoltskirchen,	» Karl.

4) Kreis-Forstmeisterei Zweybrücken.

(Begreift den größten Theil des Kreises Zweybrücken.)

Kreis-Forstmeister zu Zweybrücken, Herr Lintz.

Forstsekretär daselbst, » Meurer.
Forstvermesser daselbst, » Drexel.

Oberförsterei Pirmasens.

Oberförster zu Pirmasens, Herr Baumgärtner.
Rechnungsführende Revier-
förster zu Lemberg, » Weiffert (Adam).
Idem zu Schönau, » Helfrich.
» Pirmasens, » Steinmetz (Friedrich).
» Rodalben, » Brendamour.
» Merzalben, » Lehanka.
» Leimen, » Stein (Ludwig).

Oberförsterei Annweiler.

Oberförster zu Annweiler, Herr Cramer.
Rechnungsführende Revier-
förster zu Willgartswiesen, » Klensch.
Idem zu Annweiler, » Mörschel.
» Oberschlettenbach, » Stoffel.
» Hofstetten, » Becker.
» Eisersthal, » Haag.
» daselbst, » Straffer (Franz).
» Rinnthal, » Helfrich.
» Burrweiler, » Dörr.

Oberförsterei Zweybrücken.

Oberförster zu Zweybrücken, Herr Steitz.

Rechnungsführende Revier-
förster zu Nünschweiler, Herr Hanenwald.

Idem zu Burgalben,   » Pferßdorf (Otto).

   » Neuhornbach,   » Tochtermann.

   » Altheim,   » Beringer.

   » Mimbach,   » Lindemann.

Oberförsterei Homburg.

Oberförster zu Homburg, Herr Hanus (Ch.)

Rechnungsführende Revier-
förster daselbst,   » Steinmetz (Phil.)

Idem zu Großbundenbach,   » Laplace.

   » Karlsberg,   » Hanus (Wilh.)

   » Erbach,   » Seel (Karl).

   » Battweiler,   » Steinacker (Peter).

Oberförsterei Dahn.

Oberförster, (diese Stelle wird durch den Revierförster
Klensch zu Willgartswiesen versehen).

Regierungsf. Revierf. zu Erlenbach, Herr Stephan.

5) Kreis-Forstmeisterei Trier.

Kreis-Forstmeister zu Trier, Herr Coupette.

Forstsekretär daselbst,   » Wilkens.

Forstvermesser daselbst,   » Hellmann.

Oberförsterei Trier.

Oberförster zu Trier,   Herr Utsch.

Rechnungsführende Revier-
förster zu Gutweiler,   » Anton.

Idem zu Hentern,   » Courte.

Rechnungsführende Revier-
förster zu Niedermennig, Herr Hamm.
Idem zu Saarburg,   '» Ritter.
      »` Longuich,   » Hakenbruch.

Oberförsterei Neumagen.

Oberförster zu Neumagen, Herr Peters.
Rechnungsführende Revier-
förster zu Beuren,   » Roth.
Idem zu Horath,   » Haath.
      » Burgen,   » Wanninger (Andr.)
      » Monzelfeld,   » Lauerburg.

Oberförsterei Beurig.

Oberförster zu Beurig,   Herr Kleudgen.
Rechnungsführende Revier-
förster daselbst,   » Pidoll.
Idem zu Tettingen,   » Weydert.
      » Taben,   » Waegner.
      » Dillmahr,   » Pizzalla.
auf dem Schwarzbruch,   » Gresser.
zu Merzig,   » Simon.
      » Oberlesheim,   » Paulus.
      » Besseringen,   » Weismüller.

6) Kreis-Forstmeisterei Birkenfeld.

Kreis: Forstmeister zu Birkenfeld, Herr Merling.
Forstsekretär daselbst,   -   » Simon (Fried.)
Forstvermesser daselbst,   » Conrad.

Oberförsterei Birkenfeld.

Oberförster zu Birkenfeld (vacat).

Rechnungsführende Revier-
förster zu Sauerbrunn, Herr Rabike.
Idem zu Birkenfeld,　　» Helm.
　　» Brücken,　　　» Antes (Peter).
　　» Leisel,　　　» Stockmar.
　　» Allenbach,　　» Kamprath.
　　» Züsch,　　　» Rummel.
　　» Wolfersweiler,　» Hoffmanns.

Oberförsterei Morbach.

Oberförster zu Morbach, Herr Perrot.
Rechnungsführende Revier-
förster zu Wildenburg,　» Hahn.
Idem zu Wenigerade,　　» Pfeiffer.
　　» Hottenbach,　　» Kalkofen.
　　» Mörschied,　　» Pauli.
　　» Mierschied,　　» Jäger.
　　» Weitersbach,　» Schmidt.

Oberförsterei Wadern.

Oberförster zu Wadern, Herr Bank.
Rechnungsführende Revier-
förster zu Otzenhausen,　» Bühler.
Idem zu Hermeskeil,　　» Habermann.
　　» Osburg,　　　» Schmitz.
　　» Schwarzwald,　» Harlfinger.
　　» Wadrill,　　　» Lenes.
　　» Lockweiler,　　» Stein.

Oberförsterei Cusel.

Oberförster zu Cusel, Herr Schadt.

Rechnungsführende Revier-
förster zu Herschweiler,   Herr Sachs.

Idem zu Cusel,   » Demarnay.

  » Baumholder,   » Röder.

  » Kirchenbollenbach,   » Bruch.

  » Unterjeckenbach,   » Filbrich.

  » Meisenheim,   » Kaufmann.

  » Oberstein,   » Löblein.

  » Hochstätten,   » Bohlen.

7) Kreis-Forstmeisterei Blieskastel.
(Begreift den Kreis Ottweiler.)

Kreis-Forstmeister zu Blieskastel, Herr Steffens.

Forstsekretär daselbst,   » Debray.

Forstvermesser daselbst,   » Bauer.

Oberförsterei Blieskastel.

Oberförster zu Blieskastel, Herr Binger.

Rechnungsführende Revier-
förster zu Neuhäusel,   » Lindemann.

Idem zu Kirkel,   » Linck.

  » Oberwürtzbach,   » Quirin.

  » Bliesbolgen,   » Zapp.

  » Neunkirchen,   » Altpeter.

Oberförsterei Ottweiler.

Oberförster zu Ottweiler, Herr von Boos.

Rechnungsführende Revier-
förster zu Illingen,   » Grohe.

Idem zu Fürth,   » Hoos.

  » Niederlinxweiler,   » Haas.

  » Jägersburg,   » Lindemann.

  » Dunzweiler,   » Molitor.

Oberförsterei Lebach.

Oberförster zu Lebach,   Herr Merling.
Rechnungsführende Revier-
  förster zu Urerweiler,   » Wahlster.
Idem zu Eyweiler,   » Altpeter.
  '» Saarwellingen,   » Düssel.
  » Tholey,   » Lichtenberger.

8) Kreis-Forstmeisterei Simmern.

(Sie umfaßt den größten Theil des Kreises Simmern.)

Kreis-Forstmeister, (diese Stelle wird durch den Oberforst-
  meister zugleich versehen).
Forstsekretär zu Kreuznach, Herr Steinhauer.
Forstvermesser daselbst,   » Wenzel.

Oberförsterei Simmern.

Oberförster zu Simmern, Herr Strasser.
Rechnungsführende Revier-
  förster zu Bacharach,   » Utsch (C. Franz).
Idem zu Perscheid,   » Müller.
  » Rheinböllen,   » Näher.
  » Argenthal,   » Strasser (Anton).
  » Mengerschied,   » Ludwig.
  » Biebern,   » Steiner (Joseph).

Oberförsterei Kirchberg.

Oberförster zu Kirchberg, Herr Grünewald.
Rechnungsführende Revier-
  förster zu Trarbach,   » Richter.
Idem zu Büchenbeuren,   » Olimart.
  » Oberkostenz,   » Kißling (Adam).

3

Rechnungsführende Revier-
förster zu Kirchberg,   Herr Buchweiler.
Idem zu Schlierscheid,   » Lucas.
    » Kirn,   » Mittnacht.

Oberförsterei Winterburg.

Oberförster zu Winterburg, Herr Utsch.
Rechnungsführende Revier-
förster zu Sobernheim,   » Wasserburger.
Idem zu Mandel,   » Schemenauer (Franz).
    » Norheim,   » Mainoné.
    » Heddesheim,   » Schemenauer (Joh.)
    » Waldalgesheim,   » Fink (Karl).
    auf dem Struthof,   » Melsheimer (Jacob).
    » Entenpfuhl,   » Melsheimer (Franz).
    » Thiergarten,   » Kaul (Peter).

9) Kreis-Forstmeisterei Kastellaun.
(Sie begreift den übrigen Theil des Simmerer Kreises und den
Koblenzer Kreis.)

Kreis-Forstmeister zu Kastellaun, Herr von Horn.
Forstsekretär daselbst,   » Meurer.
Forstvermesser zu Laubach,   » Kornelius.

Oberförsterei Kastellaun.

Oberförster zu Kastellaun, Herr Reiffenberg.
Rechnungsführende Revier-
förster zu Gödenroth,   » Schönel.
Idem zu Laubach,   » Kochem.
    » Mörsdorf,   » Born.
    » Zell,   » Settegast.
    » Treis,   » Quickert.
    » Fankel,   » Fuchs.

Oberförsterei Boppard.

Oberförster zu Boppard, Herr Keck.
Rechnungsführende Reviers ￼
  förster zu Grundelbach,   » Beck.
Item zu Norath,   » Müller (Philipp).
  » Werlau,   » Steiner.
  » Halsenbach,   » Hermes.
  » Rhens,   » Orth.
  » Remstecken,   » Bauer.

VI. Der Wasser-, Wegs- und Brückenbau.

Oberbaudirektion.

Oberbaudirektor zu Mainz, Herr Peter von Gergens.

Departements- und Kreisbehörden.

1) Für die Kreise Alzey und Speyer.

Ingenieur 1ster Klasse für die Kreise
  Alzey und Speyer, zu Mainz . Herr Hefner.
Ingenieur 2ter Klasse für den Kreis
  Speyer, zu Speyer .   .   . » Spatz.
Kondukteur 2ter Klasse für den Kreis
  Alzey, zu Mainz .   .   . » May.
Chausseebereiter für den Kreis Alzey,
  zu Mainz .   .   .   . » Mering.
Chausseebereiter für den Kreis Speyer,
  zu Speyer .   .   .   . » Wolf.

Einstweiliger Chausseeaufseher für ben
   Kreis Alzey, zu Mainz ,   . Herr Marstaller.
Idem für den Kreis Speyer, zu Speyer » Haas.
Waagbrückenaufseher zu Oggersheim . » Lambert.

2) Für die Kreise Kaiserslautern und Zweybrücken.

Ingenieur 1ster Klasse für die Kreise
   Kaiserslautern und Zweybrücken, zu
   Kaiserslautern . . . . Herr Wahl.
Kondukteur 1ster Klasse für den Kreis
   Zweybrücken, zu Zweybrücken . » Martin.
Kondukteur 2ter Klasse für den Kreis
   Kaiserslautern, zu Kaiserslautern » Denis.
Chausseebereiter für den Kreis Kaisers-
   lautern, zu Kaiserslautern . . » Staudt.
Idem für den Kreis Zweybrücken, zu
   Zweybrücken . . . . » Preismayer.
Waagbrückenaufseher zu Kaiserslautern » Ficht.

3) Für die Kreise Trier, Birkenfeld und Ottweiler.

Ingenieur 1ster Klasse zu Trier, Herr Hetzrodt.
Kondukteur 1ster »   »   » Kewenig.
   »   2ter »   »   » Wolf.
Chausseebereiter daselbst,   » Blum.

4) Für die Kreise Koblenz und Simmern.

Ingenieur 2ter Klasse zu Koblenz, Herr Umpfenbach.
Kondukteur 1ster »   »   » Trapet (Clem.)
  »   2ter »   »   » Ott.
Chausseebereiter zu Boppard   » Trapet Joseph).
Einstw. Chausseeaufseher zu Bingen » Gassenholz.

VII. Die Berg- und Hüttenwerke.

Generalinspektion.

Generalinspekter zu Kreuznach, Herr Karl August Simon.

Unterbeamte bei den landesherrlichen Steinkohlengruben.

1) Im Kreise Ottweiler.

Direkter zu Neunkirchen (vacat.)
Schichtmeister, auf der Grube von Wellesweiler wohnhaft, Herr Bartels.

Grube von Wellesweiler.

Rechnungsführender Steiger, Herr Arnold.
Einnehmer . . . » Rath.
Kontroleur . . . » Frick.

Grube von Kohlwald.

Rechnungsführender Steiger, Herr Enderlein.
Einnehmer . . . » Spenler.
Kontroleur . . . » Jung.

Grube von St. Ingbert.

Rechnungsführender Steiger, Herr Poller.
Einnehmer . . . » Hauck.
Kontroleur . . . » Zenz.
» . . . » Kamp.

Grube von Illingen.

Rechnungsführender Steiger, Herr Zenz.
Kontroleur . . . » Lautemann.

Grube von Wahlschiedt.
Rechnungsführender Steiger, Herr Enderlein.
Kontroleur . . . » Kamp.

Grube von Guichenbach.
Rechnungsführender Steiger, Herr Kern.
Kontroleur . . . » Gedicke.

(Die definitive Eintheilung dieser Grube hängt noch von der
Grenzberichtigung zwischen Frankreich und Deutschland ab).

2) Im Kreise Kaiserslautern.

Gruben von Odenbach und Roth.
Rechnungsf. Obersteiger zu Odenbach, Herr Amman.

Grube von Reitzengraben.
Rechnungsf. Steiger zu Obermoschel, Herr Gluwick.

VIII. Die Verwaltung der Salinen.

Regierungskommissär, auf der Theo-
dorshalle bei Kreuznach wohnhaft Herr Heut.
Kontroleur, daselbst . . . » Hermanni.
Kontroleur, auf der Philippshalle bei
Dürkheim wohnhaft . . » Müller (Chr.)

IX. Medizinalanstalten.

Direktor des Medizinalkollegiums in Mainz, der Professor
und Senior facultatis, Herr Weidmann.
Medizinalräthe daselbst, die H. H. Molitor und Leidig.

X. Oeffentlicher Unterricht.

Inspektoren.

Die Herren Butenschoen und Jung.

Direktoren und Lehrer an den Kollegien oder Gymnasien.

Worms.	Direktor,	Herr Schneidler.
	Professoren,	H.H. Duesberg, Luley, Noller.
Grünstadt.	Direktor,	Herr Boost.
	Professoren,	H.H. Bergmann, Baltz, Wolf.
Speyer.	Direktor,	Herr Braun.
	Professoren,	H.H. Schwerdt, Hürt.
Zweybrücken.	Direktor,	Herr Hertel.
	Professoren,	H.H. Berkmann, Heintz, Trifard.
	Lehrer,	Herr Posthius.
Dürckheim.	Direktor,	Herr Braun.
	Professoren,	H.H. Müller, Glock.
Neustadt.	Direktor,	Herr Ackermann.
	Professoren,	H.H. Rom, Heinrich.
Kaiserslautern.	Direktor,	Herr Balbier.
	Professoren,	H.H. Gyßling, Wahl.
Kreuznach.	Direktor,	Herr Weinmann.
	Professoren,	H.H. Klein, Delaveau.
	Lehrer,	Herr Bechtel.
Bingen.	Direktor,	(Unbesetzt.)
	Professor,	Herr Schmidt.

Boppard. Direktor, (Unbesetzt.)
Professor, Herr Cloot.
Trier. Direktor, Herr Wyttenbach.
Professoren, H.H. Großmann, Servatii, Schönberger, Wirtz, Martini, Meurer (Jakob), Meurer (Heinrich).

XI. Domänen-Direktionen.

1) Für die Kreise Alzey, Speyer, Kaiserslautern und Zweybrücken.

Direktion. (Wohnsitz in Mainz).

Direktor . . Herr Georg Friedrich Hilgard.
Inspektor der 1sten
Division . . » Karl Ludwig Rischmann.
Inspektor der 2ten
Division . . » Joseph Fürst.
Verifikator . . . » Ludwig Peter Hepp.
Stempelmagazins-
Verwalter. . » J. Friedrich Dechen.

Hypothekenbewahrer und Rentmeister in den Kreisen und Kantonen.

a) Kreis Alzey.

Hypothekenbewahrer für den ganzen Kreis, (siehe den Artikel Mainz).

Rentmeister für die Kantone Alzey und Kirchheimboland, zu Alzey, Herr Franz Alwens.

Rentmeister für den Kanton Bechtheim, zu Osthofen, Herr Adolph Brewer.

Rentmeister für die Kantone Oppenheim und Wörrstadt, zu Oppenheim, Herr Franz Anton Marula.

Rentmeister für die Kantone Bingen und Wöllstein, zu Bingen, Herr Franz Lothar Mayer.

Rentmeister für die Kantone Niederolm und Oberingelheim, zu Niederolm, Herr Heinrich Jos. Schmith.

b) Kreis Speyer.

Hypothekenbewahrer für den ganzen Kreis, zu Speyer, Herr Joh. Baptist Anton Salmon.

Rentmeister für die Kantone Speyer und Germersheim, zu Speyer, Herr Peter Anton Bötz.

Rentmeister für die Kantone Worms und Pfeddersheim, zu Worms, Herr Andreas Fleischbein.

Rentmeister für die Kantone Frankenthal und Mutterstadt, zu Frankenthal, Herr Karl Lehmann.

Rentmeister für die Kantone Neustadt und Edenkoben, zu Neustadt, Herr Johann Nössel.

Rentmeister für die Kantone Dürckheim und Grünstadt, zu Dürckheim, Herr Peter Jos. Schauberg.

c) Kreis Kaiserslautern.

Hypothekenbewahrer für den Kreis und

Rentmeister für die Kantone Kaiserslautern und Otterberg, zu Kaiserslautern, Herr Karl Ludwig Müller.

Rentmeister für die Kantone Lauterecken, Obermoschel und Wolfstein, zu Lauterecken, Herr Karl Falciola.

Rentmeister für die Kantone Winnweiler, Göllheim und Rockenhausen, zu Winnweiler, Herr Joseph Karl Huber.

d) Kreis Zweybrücken.

Hypothekenbewahrer für den ganzen Kreis, zu Zweybrücken, Herr Joh. Jakob Geßner.

Rentmeister für den Kanton Dahn, zu Dahn, Herr Hub. Karl Cloßmann.

Rentmeister für die Kantone Zweybrücken, Medelsheim und Neuhornbach, zu Zweybrücken, Herr Georg Nik. Jak. Matty.

Rentmeister für den Kanton Annweiler, zu Annweiler, Herr Johann Georg Rapp.

Rentmeister für die Kantone Homburg und Landstuhl, zu Homburg, Herr Kaspar Schneider.

Rentmeister für die Kantone Pirmasens und Waldfischbach, zu Pirmasens, Herr Heinrich Wilhelm Stöhr.

e) Für die Kreise Trier, Birkenfeld, Ottweiler, Simmern und Koblenz.

Direktion. (Wohnsitz in Trier.)

Direktor zu Trier, Herr Joh. Peter Engelmann.

Inspektor der 1sten Division daselbst, Herr Joh. Math. Roßbach.

Inspektor der 2ten Division, Herr Joh. Jakob Engelmann, (dermalen bei der Landes-Administration in Kreuznach angestellt).

Verifikator, mit dem Rang eines Inspektors, ohne bestimmten Wohnsitz, Herr Goswin Linz.

Verifikator, ohne bestimmten Wohnsitz, Herr Balthasar
Steiß.

Stempelmagazins-Verwalter zu Trier, Herr Joh. Jakob
Neuberger.

Hypothekenbewahrer und Rentmeister in den Kreisen und Kantonen.

a) Kreis Trier.

Hypothekenbewahrer für den Kreis, und Rentmeister der Domänen für die Kantone Trier, Conz und Ruver, zu
Trier, Herr Karl Phil. Schmelzer.

Rentmeister der Einregistrirung und Stempelgebühr für die
drei genannten Kantone, zu Trier, Herr Armand Oktav
Bechele.

Rentmeister für die Kantone Merzig und Lebach (letzterer im
Kreis Ottweiler), zu Merzig, Herr Philipp Pfarrius.

Rentmeister für die Kantone Neumagen und Bernkastel, zu
Neumagen, Herr Wilhelm Derscheid.

Rentmeister für den Kanton Saarburg, zu Saarburg, Herr
Friedrich Wenzel.

b) Kreis Birkenfeld.

Hypothekenbewahrer für den Kreis, und Rentmeister für
die Kantone Cusel und Baumholder, zu Cusel, Herr
Heinrich Anten Müller.

Rentmeister für den Kanton Birkenfeld, zu Birkenfeld, Herr
Ludwig August Palmié.

Rentmeister für die Kantone Meisenheim und Grumbach, zu
Meisenheim, Herr Karl Hohl.

Rentmeister für die Kantone Rhaunen und Herrstein, zu
Rhaunen, Herr Ludwig Weyrich.

Rentmeister für die Kantone Wadern und Hermeskeil, zu
Wadern, Herr Friedrich Hörner.

c) Kreis Ottweiler.

Hypothekenbewahrer für den ganzen Kreis, und Rentmeister
für die Kantone St. Wendel, Ottweiler und Theley,
zu St. Wendel, Herr Joh. Anton Toseity.

Rentmeister für die Kantone Blieskastel und Waldmohr, zu
Blieskastel, Herr Cölestin Luchesy.

d) Die Kreise Simmern und Koblenz.

(Für die dießseitigen Kantone des Kreises Koblenz ist die Hypotheken-
Konservation von Koblenz beibehalten worden.)

Hypothekenbewahrer für den Kreis Simmern, und

Rentmeister von Simmern und Bacharach, zu Simmern,
Herr Phil. von Hontheim.

Rentmeister für die Kantone Kreuznach und Stromberg,
zu Kreuznach, Herr Heinrich Corbier.

Rentmeister für die Kantone Kastellaun und Treis, zu Kastellaun, Herr Adam Buchhecker.

Rentmeister für die Kantone Kirchberg, Trarbach und Zell,
zu Kirchberg, Herr Ignaz Rottmann.

Rentmeister für die Kantone Sobernheim und Kirn, zu
Sobernheim, Herr Eugen Sonntag.

Rentmeister für die Kantone St. Goar und Boppard, zu
St. Goar, Herr Phil. Jak. Friedrich Sicherer.

Haupt-Stempel-Magazins-Verwalter für den ganzen Administrationsbezirk zu Kreuznach, Herr Friedrich Heinrich Schnabelius.

XII. Steuerdirektionen.

1) Für die Kreise Alzey, Speyer, Kaiserslautern
und Zweybrücken.

Direktion. (Wohnsitz in Mainz).

Direktor, Herr Phil. Jakob Heimberger.
Inspektor, » Phil. Joseph Michell (dermalen bei der
Landes-Administration in Kreuznach angestellt).

Kontroleurs für die Kantone:

Alzey, Kirchheim und Wöllstein, zu
    Alzey,   .   .   . Herr Glaser.
Bechtheim, Oppenheim und Wörrstadt,
    zu Oppenheim,   .   .   » Koplitz.
Bingen, Niederelm und Oberingelheim,
    zu Bingen, .   .   .   » Schädler.
Worms, Pfeddersheim und Frankenthal,
    zu Worms,   .   .   » Klee.
Neustadt, Edenkoben und Annweiler,
    zu Edesheim,   .   .   » Maier.
Germersheim, Mutterstadt und Speyer,
    zu Speyer,   .   .   » Linz.
Dürkheim und Grünstadt, zu Grün-
    stadt, .   .   .   » Tenner.
Göllheim, Kaiserslautern, Otterberg und
    Winnweiler, zu Kaiserslautern,   » Megele.
Lautereken, Obermoschel, Rockenhausen
    und Wolfstein, .   .   .   » Schmidt.

Kontroleurs für die Kantone:

Homburg, Medelsheim, Neuhornbach und
    Zweybrücken, zu Zweybrücken, Herr Besnard.
Dahn, Lantstuhl, Pirmasens und Wald-
    fischbach, zu Pirmasens,   .   » Weber.

2) Für die Kreise Trier, Birkenfeld und
    Ottweiler.

Direktion. (Wohnsitz in Trier).

Direktor, Herr Karl Theodor Leclerc.
Inspektor, » Jakob Schmelzer.

Kontroleurs für die Kantone:

Trier, Ruver und Conz, zu Trier,   Herr Gauthier.

Saarburg und Merzig, zu Saarburg,   » Gabriel.

Neumagen und Bernkastel, zu Trier,   » Bauer.

Birkenfeld, Hermeskeil und Wadern,
    zu Birkenfeld,   .   .   .   » Heindt.

Herrstein, Rhaunen und Baumholder,
    zu Herrstein,   .   .   .   » Noel.

Grumbach, Meisenheim und Cusel, zu
    Cusel,   .   .   .   » Liffreing.

Ottweiler, Lebach und Tholey, zu
    Ottweiler,   .   .   .   » Boye.

Blieskastel, Waldmohr und St. Wen-
    del, zu Blieskastel,   .   .   » Saal.

3) Für die Kreise Simmern und Koblenz.

Direktion.

Inspektor zu Koblenz, Herr Holthof.

Kontroleurs für die Kantone:

Kreuznach, Stromberg und Sobernheim, zu Kreuznach, . . Herr Kilian.

Simmern, Bacharach und St. Goar,
zu Simmern, ... » Brott.

Kirchberg, Kastellaun, Trarbach und
Kirn, zu Kirchberg, . . » Mollie.

Boppard, Treis und Zell, zu Treis, » Lebon.

XIII. Departemental-Armenanstalten.

---

1) Armenanstalt zu Frankenthal für die Kreise Alzey,
Speyer, Kaiserslautern und Zweybrücken.

Direkter, Herr August von Horix.

2) Armenanstalt zu Trier für die Kreise Trier,
Birkenfeld, Ottweiler, Simmern und Koblenz.

Direkter, Herr Goetten.

XVI. Verwaltung der Stuterei in Zweybrücken.

Vorstand,	Herr	Roos, Kreisdirektor.
Mitglieder,	»	Gustav von Failly.
»	»	Karl von Hofenfels.
	»	Daniel Fröhlich.
Rendant,	»	Kroeber.

B) In Hinsicht der Gerechtigkeitspflege.

I. Appellationshof zu Trier.

Kammerpräsidenten . {
Herr Johann Franz von Bruges.
» Johann Andreas Rebmann.
» Joh. Ant. Leonh. Schmitt.

Räthe . . . {
» Johann Friedrich Lintz.
» Bernhard Seippel.
» Karl Theodor Mathieu.
» Franz Joseph Stephany.
» Joh. Heinr. Jof. Rosbach:
» Friedr. Ludw. Umbscheiden.
» Damian Cardon.
» Peter Anethan.
» Mich. Fr. Joseph Müller.
» Johann Baptist Artois.
» Mathias Simon.
» Peter Schwarz.
» Joh. Bapt. Hitzfeld, (dermalen bei der Landes-Administration in Kreuznach angestellt).
» Friedrich Karl Simon.

4

General-Staats-Prokurator, Herr Damian Ernest Birck.

Erster General-Advokat . . . » Wilh. Jos. Fritsch.

Zweiter   »   »   . . » Joh. Birnbaum.

Substitute . . . . . { » Johann Peter Esser.
                       { » Stanislaus Schmitt.

Obergerichtsschreiber . . . » Mart. Jos. Görgen.

Gerichtsschreiber . { Herr Nikolaus Meisterburg.
                    { » Johann Mathias Sittel.
                    { » Joh. Baptist Neureuter.
                    { » Johann Salmon.

Advokaten . . { » Karl Ferd. Fr. Ruppenthal.
              { » Joh. Adam Altenhoven.
              { » Georg Friedrich Papé.
              { » Franz Joseph Schmitt.
              { » Joseph Bochholz.
              { » Anton Lautz.
              { » Alexander Hasenkleber.
              { » Ludwig Schmidt.
              { » Theodor Hilgard.
              { » Franz Seibert.
              { » Andreas Dräger.
              { » Ignaz Leibfried.
              { » Philipp Lautz.

Anwälde . . . { » Johann Georg Adam.
              { » Peter Schue.
              { » Joh. Nikolaus Nalbach.

Gerichtsboten bei { » Philipp Detiege.
dem Kreisgericht { » Johann Schüler.
                  { » Joh. Christoph Haan.
                  { » Nikolaus Dämgen.
                  { » Joseph Meurin.

II. Kreisgerichte mit den Friedensgerichten und Notariatsstellen.

---

1) Kreis Alzey.

Kreisgericht. (Sitz in Mainz).

Präsident . . .	Herr Wilhelm Wernher.
Vizepräsident . .	» Karl Joseph Stephani.
Untersuchungsrichter	» Peter Franz Schwind.
Richter . . .	» Georg Isidor Duesberg.
	» Franz Lothar Drey.
	» Georg Jakob Giesen.
	» Karl Joseph Retzer.
	» Gottfried Weber.
	» Johann Nepomuk Merkel.
Ergänzungsrichter	» Elias Steph. Melchiors.
	» Philipp Hadamar.
	» Karl Kretschmar.
	» Burkhard Molitor.
Staatsprokurator .	» Adam Joseph Schwab.
Substitute . .	» Karl Schaab.
	» Joseph Alois Molitor.
	» Georg Ludwig Maurer.
Obergerichtsschreiber .	» Christian Brellinger,
Untergerichtsschreiber	» Karl Stephan Metz.
	» Friedrich Kellermann.
Advokaten und Anwälde	» Philipp Hadamar.
	» Elias Stephan Melchiors.
	» W. M. Jof. Groubental.
	» Karl Varena.

	Herr Andreas Wilhelm Dufour.
Advokaten und An- wälde	» Franz Philipp Aull.
	» Franz Schmitt.
	» Joseph Alois Kilian.
Ueberfetzer	» Christoph Bleßmann.
	» Ferdin. Balder zu Mainz.
	» Ignaz Schmitt.
	» Heinrich Wagner dafelbft.
	» Franz Jof. Schabrick dafelbft.
	» Ferdinand Mella dafelbft.
	» Karl Scheuerich dafelbft.
	» J. Mich. Beyberlinden daf.
	» Joh. Jak. Diehl dafelbft.
	» Konrad Heußer dafelbft.
	» Jakob Wolf dafelbft.
	» Nik. Konrad Merz dafelbft.
	» Heinrich Mayer zu Alzey.
Gerichtsboten des Kreisgerichts	» Karl Fr. Ampt zu Flonheim.
	» Karl Lecerf zu Ofthofen.
	» Konr. Ant. Ernemann daf.
	» J. B. Litzendorf zu Bingen.
	» Ph. Moll zu Kirchheimboland.
	» Karl Stier dafelbft.
	» Heinrich Lang zu Niederolm.
	» J. P. Schaller zu Algesheim.
	» W. Baren a zu Oberingelheim.
	» Felir Hafner zu Oppenheim.
	» Valent. Stockheim dafelbft.
	» B. Steifenfand zu Wörrftadt.
	» Phil. Jak. Binder dafelbft.
	» G. Fried. Ampt zu Wöllftein.
	» Nikolaus Schmitt dafelbft.

Handelsgericht in Mainz.

Präsident . . Herr Joseph Hämmerlein.

Richter - . .
» Joh. Adam Lennig.
» Heinrich Meletta.
» Heinrich Ackermann (Sohn).
» Joh. Kertel (Sohn).

Ergänzungs-richter
» Christoph Wilms.
» Jakob Kraus.
» Friedrich Dumont.

Gerichtsschreiber » Joh. Jakob Sieglitz.

Gerichtsbote . » Ferdinand Balder.

Friedensgerichte und Notariatsstellen.

Kanton Alzey.

Richter . . Herr Franz Dedell.

Gerichtsschreiber » Franz Rollet.

Notäre - . .
» Nikolaus Peter Theyer, zu Alzey.
» Gottlieb Bayer, daselbst.
» Anselm Fabis, daselbst.

Kanton Bechtheim.

Richter . . Herr Moritz Müller.

Gerichtsschreiber » Georg Thiel.

Notäre - . .
» Adolph Schaad, zu Heßloch.
» Philipp Joseph Vanderlinden, zu Osthofen.
» Johann Jakob Sauermann, zu Bechtheim.

Kanton Bingen.

Richter . . Herr Franz Kaiselreiter.

Gerichtsschreiber » Jakob Fell.

Notäre . . { Herr Herrmann **Faber**, zu Bingen.
{ » Heinrich Joseph **Wieger**, daselbst.

Kanton Kirchheimboland.

Richter . . Herr Karl Alex. **Cloßmann**.
Gerichtsschreiber » Leonhard **Maupay**.
Notäre . . { » Anton **Kurz**, zu Kirchheimboland.
{ » Karl **Bola**, daselbst.
{ » Georg **Neumayer**, daselbst.

Kanton Niederolm.

Richter . . Herr Karl Phil. **Hermeß**.
Gerichtsschreiber » Jakob **Wolf**.
Notäre . . { » Joh. Baptist **Bittong**, zu Nie-
{ derolm.
{ » Karl **Wagner**, daselbst.

Kanton Oberingelheim.

Richter . . Herr Anton Jos. **Dittmayer**.
Gerichtsschreiber » Karl Friedrich **Schalk**.
Notäre . . { » Karl Jos. **Steinem**, zu Oberin-
{ gelheim.
{ » Jakob **Gebhard**, daselbst.
{ » Heinrich **Köster**, daselbst.

Kanton Oppenheim.

Richter . . Herr Nikolaus **Gutmann**.
Gerichtsschreiber » Joh. Baptist **Goy**.
Notäre . . { » Adam **Weber**, zu Oppenheim.
{ » Georg **Egli**, daselbst.
{ » Karl Theod. **Schneyder**, daselbst.

Kanton Wöllstein.

Richter . . Herr Christian **Engel**.

Gerichtsschreiber, Herr Christian S e i p p e l.

Notäre . . { » Franz S e i t z, zu Wöllstein.
{ » Wilhelm S c h i r m e r, zu Sprend=
{ lingen.

Kanton Wörrstadt.

Richter . . Herr Hartmann Ludw. B u r k h a r d.
Gerichtsschreiber . » Georg Joseph V o g e l.

Notäre . . { » Maximilian W i r t h, zu Partenheim.
{ » Kaspar P h i l d i u s, zu Wörrstadt.
{ » Adam M ü l l e r, daselbst.

2) Kreis Speyer.

Kreisgericht zu Speyer.

Präsident . . Herr Jakob Dietrich G o ß w e i l e r.
Untersuchungsrichter » Karl Franz S c h w i n d.

Richter . { » Johann Baptist K i s s e l.
{ » Karl S c h o t t.

Ergänzungs= { » Joseph S c h l e m m e r.
richter { » Johann L ö w.

Staats=Prokurator » Georg A p é.
Substitut . . » Joh. Baptist P i t t s c h a f t.
Gerichtsschreiber . » Heinrich Franz Meinrad B o l l.

Anwälde . { » Joseph S c h l e m m e r.
{ » Johann L ö w.
{ » Kaspar D i c k.
{ » Christian H e b d ä u s.
{ » Leonhard S a u r.
{ » Friedrich Justus W i l l i c h.

Gerichtsboten { » Benj. C a s e l m a n n, zu Speyer.
bei dem { » Philipp H o r n u s, daselbst.
Kreisgericht { » Bartholomäus D e n i g, daselbst.

	Herr Joh. Paul Joseph Welker, daselbst.
	» Wilhelm Anton Fritz, daselbst.
	» Jakob Wetter, zu Grünstadt.
	» Johann Peter Jlgen, daselbst.
	» Philipp Rosse, daselbst.
	» Andreas Olivier Arent, zu Neustadt.
Gerichts-	» Jakob Heinrich Goßweiler, daselbst.
boten	» Joh. Adam Pierson, zu Pfeddersheim.
bei dem	» Jakob Ringel, zu Worms.
Kreisge-	» Bernhard Rinck, daselbst.
richt	» Franz Merz, zu Dürckheim.
	» Johann Bapt. Laforet, zu Edenkoben.
	» Franz Valentin Weber, daselbst.
	» Johann Born, daselbst.
	» Kaspar Helbig, zu Frankenthal.
	» Franz Grosch, daselbst.
	» Karl Alex. Malherbe, zu Germersheim.
	» Joh. Bapt. Biechy, zu Mutterstadt.

Friedensgerichte und Notariatsstellen.

Kanton Speyer.

Richter	. .	Herr Heinrich Ziegenhain.
Gerichtsschreiber		» Friedrich Reifinger.
Notäre	. . {	» Mar. Jos. Franz Xaver Rencker, zu Speyer.
		» Joh. Franz Reichard, daselbst.

Kanton Dürckheim.

Richter	. .	Herr Georg Jakob Retzer.
Gerichtsschreiber		» Georg Philipp Riedel.
Notäre	. . {	» Michel Lippert, zu Deidesheim.
		» Karl Köster, zu Friedelsheim.

Kanton Edenkoben.

Richter . . Herr Johann Haußner.

Gerichtsschreiber » Franz Braun.

Notäre . . { » Karl Dominique, zu Edenkoben.
{ » Karl Medicus, daselbst.

Kanton Frankenthal.

Richter . . Herr Michel Friedrich.

Gerichtsschreiber » Friedrich Kriebel.

Notäre . . { » Joh. Wilh. Theodor Franz, zu Frankenthal.
{ » Joh. Kaspar Adolay, daselbst.
{ » Jak. Fried. Sartorius, daselbst.

Kanton Germersheim.

Richter . . Herr Heinrich Marschall.

Gerichtsschreiber » Andreas Philipp Pfirrmann.

Notär . . » Augustin Joseph Damm, zu Germersheim.

Kanton Grünstadt.

Richter . . Herr Samuel Köster.

Gerichtsschreiber » Karl Ludwig Umbscheiden.

Notäre . . { » Phil. Nik. More, zu Grünstadt.
{ » Joh. Scherer, daselbst.
{ » Heinrich Weiß, zu Großbokenheim.

Kanton Mutterstadt.

Richter . . Herr Karl Friedrich Koch.

Gerichtsschreiber » Lorenz Wolf.

Notäre . . { » Georg Karl Franz Walter, zu Mutterstadt.
{ » Gabriel Bolgard, daselbst.

Kanton Neustadt.

Richter . . Herr Friedrich Buhl.
Gerichtsschreiber » Joh. Baptist Weiß.
Notäre . . { » Johann Carl, zu Neustadt.
{ » Abraham Lembert, daselbst.

Kanton Pfeddersheim.

Richter . . Herr Karl Anton Schmalenberger.
Gerichtsschreiber » David Schäfer.
Notäre . . { » Heinr. Sandherr, zu Pfeddersheim.
{ » » Anton Wolf, daselbst.

Kanton Worms.

Richter . . Herr Ludwig Heissel.
Gerichtsschreiber » Joh. Stephan Trumpler.
Notäre . . { » Konr. Winkelmann, zu Worms.
{ » Anton Schnernauer, daselbst.

3) Kreis Kaiserslautern.

Kreisgericht zu Kaiserslautern.

Präsident . . Herr Joh. Fried. Jof. Schmitt.
Untersuchungsrichter » Joh. Heinr. Joseph. Dick.
Richter . . . » Karl Wilhelm Rettig.
Ergänzungs- { » Wilhelm Fliesen.
richter { » Franz Joseph Lippert.
Staats-Prokurator » Franz Joseph Potthof.
Substitut . . » Johann Daum.
Obergerichtsschreiber » Vasant.
Untergerichtsschreiber » Andreas Jof. Rapiequet.

Anwälde . .	Herr Wilhelm **F l i e s e n.**
	» Jakob **K o l l e r.**
	» Friedrich **F l i e s e n.**
	» Franz Joseph **L i p p e r t.**
Ueberſetzer . .	» Wilh. Daniel **W e b e r.**
	» Ludwig **V a ß b a c h**, zu **Kaiferslau-** tern.
	» Konrad Philipp **D i c k e s**, dafelbſt.
	» Kaspar **M ü l l e r**, zu **Winnweiler.**
Gerichtsboten bei dem Kreisgericht	» Johann **B a ſ ſ i n g**, zu **Göllheim.**
	» Friedrich Wilhelm **S c h r ö d e r**, zu **Gaugrehweiler.**
	» Anton **P u r p u r**, zu **Lauterecken.**
	» Heinrich **B a u e r**, zu **Wolfſtein.**
	» Georg Pet. **L o u i s**, zu **Otterberg.**

Friedensgerichte und Notariatsſtellen.

Kanton Kaiferslautern.

Richter . .	Herr Heinrich **V o g t.**
Gerichtsſchreiber	» Ferdinand **K o n r a d.**
Notäre . .	» Franz Lorenz **R ö b e l**, zu **Kaifers-** lautern.
	» Adam **R o h r**, dafelbſt.

Kanton Göllheim.

Richter . .	Herr Ludwig **K i r c h w e g e r.**
Gerichtsſchreiber	» Nikolaus **H a a r d t.**
Notär . .	» Mathias Joseph **M ü l l e r**, zu **Göll-** heim.

Kanton Lauterecken.

Richter . .	Herr Karl Philipp **B a u m a n n.**

Gerichtsschreiber Herr Joseph Schwarz.

Notäre . . { » Heinr. Martiny, zu Lauterecken.
{ » Ludwig Gervinus, daselbst.

Kanton Obermoschel.

Richter . . Herr Joseph Schmitt.

Gerichtsschreiber » Karl Jakobi.

Notäre . . { » Joh. Michel Ott, zu Obermoschel.
{ » Wilhelm Welsch, daselbst.

Kanton Otterberg.

Richter . . Herr Karl Jung.

Gerichtsschreiber » Peter Wolpert.

Notäre . . { » Wilhelm Will, zu Otterberg.
{ » Christian Jakobi, daselbst.

Kanton Rockenhausen.

Richter . . Herr Peter Ludwig Simon.

Gerichtsschreiber » Philipp Hoseus.

Notäre . . { » Peter Franz Bolza, zu Rocken-
{ hausen.
{ » Joh. David Leslin, daselbst.

Kanton Winnweiler.

Richter . . Herr Peter Joseph Daniels.

Gerichtsschreiber » Ludwig Faul.

Notäre . . { » Georg Wilhelm Friedlieb Hatt-
{ roth, zu Winnweiler.
{ » Wilhelm Hellriegel, daselbst.

Kanton Wolfstein.

Richter . . Herr Gottlieb Neidhardt.

Gerichtschreiber Herr Peter Mahler.

Notäre . . { » Karl Jakob Schüler, zu Wolfstein.
           » Joh. Daniel Wolf, daselbst.

4) Kreis Zweybrücken.

Kreisgericht zu Zweybrücken.

Präsident . . Herr Jakob Ege.

Untersuchungsrichter » Georg von Failly.

Richter . : » Bernhard Ansmann.

Ergänzungs- { » Heinrich Peter Reuthner.
richter { » Karl Emil Hahn.
           » Nikolaus Besnard.

Staats-Prokurator » Ludwig Koch.

Substitut . . » Peter Eberhard Korbach.

Obergerichtschreiber » August Petri.

Untergerichts- { » Ludwig Hoffmann (Sohn).
schreiber { » Friedrich Faber.

Anwälde . . { » Karl Emil Hahn.
           » Theodor Ludwig Storck.
           » Heinrich Joseph Schüler.

Gerichtsboten
bei dem
Kreisgericht {
Herr Martin Michel, zu Zweibrücken.
  » Gottlieb Brechmer, daselbst.
  » Christian Ege, daselbst.
  » Jakob Bouchon, das.
  » Dan. Ad. Schmolze, zu Annweiler.
  » Jakob Zinngrat, das.
  » Joh. Wolfg. Scharbt, zu Dahn.
  » Joh. Peter Haren, das.
  » Michel Wehner, zu Landstuhl.
  » Wilhelm Frenzel, zu Homburg.
  » Ludwig Adam, zu Medelsheim.

Gerichtsboten bei dem Kreisgericht	Herr Konrad Grischilles, zu Neuhornbach.
	» Karl Weyland, zu Pirmasens.
	» Friedrich Gäckler, das.
	» Simon Credit, zu Waldfischbach.

Friedensgerichte und Notariatsstellen.

Kanton Zweybrücken.

Richter . . Herr Heinrich Peter Reuthner.
Gerichtsschreiber » Ludwig Klick.

Notäre . .	» Ludw. Hoffmann, zu Zweybrücken.
	» Georg Christian Ludwig Lindenmeyer, das.
	» Ludwig Siegel, das.

Kanton Annweiler.

Richter . . Herr Ludwig Dippel.
Gerichtsschreiber » Joseph Wanderschüren.

Notäre . .	» Ludwig Besse, zu Annweiler.
	» Franz Daguesant, zu Albersweiler.
	» Konrad Diehl, zu Annweiler.

Kanton Dahn.

Richter . . Herr Johann Ignaz Lagasce.
Gerichtsschreiber » Georg Thomas.
Notär . . . » Adolf Martin, zu Dahn.

Kanton Homburg.

Richter . . Herr Ludwig Schmid.
Gerichtsschreiber » Friedrich Süffert.

Notäre . . { Herr Johann Heß, zu Homburg.
{ » Franz Paraquin, daſ.

Kanton Landstuhl.

Richter . . Herr Franz Anton Ackermann.
Gerichtsschreiber » Heinrich Jakob Flammann.
Notäre . . { » Wilh. Jos. Dibelius, zu Landstuhl.
{ » Joseph Vögele, zu Ramstein.

Kanton Medelsheim.

Richter . . Herr Heinrich Philipp Weigand.
Gerichtsschreiber » Wilhelm Bouchon.
Notär . . . » Franz Schuler, zu Altheim.

Kanton Neuhornbach.

Richter . . Herr Philipp Anton Hettinger.
Gerichtsschreiber » Johann Jakob Nikolaus Hill.
Notär . . . » Karl Gassert, zu Neuhornbach.

Kanton Pirmasens.

Richter . . Herr Johann Hoffmann.
Gerichtsschreiber » Heinrich Geissel.
Notäre . . { » Ludwig Jeambey, zu Pirmasens.
{ » Jakob Fasko, daselbst.

Kanton Waldfischbach.

Richter . . Herr Friedrich Baumann.
Gerichtsschreiber » Joseph König.
Notäre . . { » Ludwig Lanz, zu Waldfischbach.
{ » Ludwig Fasko, zu Herbach.

5). Kreis Trier.

Kreisgericht zu Trier.

Präsident . .	Herr Anton Runten.
Untersuchungsrichter	» Nikolaus Hoffmann.
Richter . . {	» Wilhelm Gand.
	» Joh. Joseph Duppenweiler.
Ergänzungs- richter {	» Jakob Hermes.
	» Johann Georg Hambach.
	» Johann Adam Aldenhoven.
Staats-Prokurator	» Nikolaus Crell.
Substitut . . .	» Ferdinand Zeininger.
Obergerichtschreiber	» Peter Schneider.
Untergerichts- schreiber {	» Joh. Bapt. Regnery.
	» Theodor Schneider.
Anwälde . . {	» Johann Schröder.
	» Math. Jos. Fischer.
	» Joh. Aloys Haubs.
Advokaten . {	» Joh. Adam Aldenhoven.
	» Fried. Georg Papé.
	» Franz Joseph Schmitt.
	» Joseph Bochholz.
	» Johann Anton Lautz.
	» Alexander Hasenkleber.
	» Ludwig Regnard Schmitt.
	» Theodor Hilgard.
	» Andreas Dräger.
	» Ignaz Leibfried.
	» Simon Marchand.
Gerichtsboten bei dem Kreisgericht {	» Nikolaus Allstetter, zu Trier.
	» Georg Barz, das.
	» Karl Claus, das.

Gerichtsboten bei dem Kreisgericht	Herr Theobald Müller, zu Trier. » Benedikt Hever, daſ. » Konrad Kimmelmann, daſ. » Johann Gütt, zu Schweich. » Mathias Nilles, zu Saarburg. » Mathias Frank, zu Conz. » Philipp Adolph Berresheim, zu Bernkastel. » Johann Kuhn. » Ziegler.

Handelsgericht in Trier.

Präsident .	Herr Anton Joseph Recking.
Richter . .	» Friedrich Nell. » Jakob Hayn. » Jakob Linz. » Johann Georg Beer.
Ergänzungs-Richter	» Jakob Weisenbach. » F. A. Kaiser. » Kaspar Schmelzer.
Gerichtsschreiber	» Peter Steinmetz.
Gerichtsboten	» Richard. » Joseph Amlinger.

Friedensgerichte und Notariatsstellen.

Kanton Trier.

Richter . .	Herr Joh. Georg Hambach.
Gerichtsschreiber	» Franz Joseph Christ.
Notär . . .	» Franz Math. Gedeon Dupré, zu Trier.

5

Notäre . .	Herr Johann Mathias Zell, zu Trier.
	» Tobias Jakob Nikolai, daſ.
	» Joh. Ernſt Simon, daſ.
	» F. D. Bochkolz, daſ.

Kanton Bernkaſtel.

Richter . .	Herr Sebaſtian Schumm.
Gerichtſſchreiber	» Peter Kaspar Niederehe.
Notäre . .	» Johann Nikolaus Jakobi, zu Bern= kaſtel.
	» Hubert Merrem, daſ.
	» Karl Philipp Doufner, zu Mühl= heim.

Kanton Conz.

Richter . .	Herr Michel Jung.
Gerichtſſchreiber	» Peter Zimmer.
Notäre . .	» Bernhard Müller, zu Conz.
	» Bärtchen, daſ.

Kanton Merzig.

Richter . .	Herr Joseph Birk.
Gerichtſſchreiber	» Joseph Leconarbel.
Notäre . .	» Peter Joseph Marx, zu Merzig.
	» Joseph Artois, daſ.
	» Karl Siller, zu Hilbringen.

Kanton Neumagen.

Richter . .	Herr Anton Feller.
Gerichtſſchreiber	» Jung.
Notär . .	» Jakob Longuich, zu Neumagen.

Kanton Ruver.

Richter . . Herr Nikolaus Fischer.
Gerichtsschreiber » Peter Grabwohl.
Notär . . . » Roevenich, zu Ruver.

Kanton Saarburg.

Richter . . Herr Karl Hermes.
Gerichtsschreiber » Jakob Fischer.
Notäre . . { » Joh. Jakob Staadt, zu Saarburg.
{ » Maximilian Keller, zu Beurich.

6) Kreis Birkenfeld.

Kreisgericht. (Sitz zu Cusel.)

Präsident . . Herr Fried. Karl Böcking.
Untersuchungsrichter » Adolph Zöllner.
Richter . . . . » Karl Vettinger.
Ergänzungsrichter . » Jakob Benzino.
Staats-Prokurator » Wilhelm Gattermann.
Substitut . . . » Simon Marchand.
Obergerichtsschreiber » Theodor Schram.
Untergerichtsschreiber » Friedrich Kohlermann.
Anwälde . . { » Karl Hirthes.
{ » Bernhard Ruht.
{ » Friedrich Müller.
Gerichtsboten { » Friedrich Kurz.
bei dem { » Karl Müller.
Kreisgericht { » Johann Massing.
{ » Karl Dubois.

Friedensgerichte und Notariatsstellen.

Kanton Cusel.

Richter . . Herr Heinrich Schleipp.
Gerichtsschreiber » Friedrich Kohlermann.
Notäre . . { » Philipp Ludwig Ruppenthal, zu Cusel.
{ » Karl Julius Fuchs, das.

Kanton Baumholder.

Richter . . Herr Karl Serba.
Gerichtsschreiber » Karl Raquet.
Notär . . . » Peter Neuberger, zu Baumholder.

Kanton Birkenfeld.

Richter . . Herr Peter Joseph Herrmann.
Gerichtsschreiber » Johann Peter Werry.
Notär . . . » Petersholz, zu Birkenfeld.

Kanton Grumbach.

Richter . . Herr Ludwig Kaufmann.
Gerichtsschreiber » Christian Müller.
Notäre . . { » Gerber, zu Grumbach.
{ » Peter Hauser.

Kanton Hermeskeil.

Richter . . Herr Johann Hisgen.
Gerichtsschreiber » Otten.
Notär . . . » Wilhelm Heußner, zu Tronecken.

Kanton Herrstein.

Richter . . Herr Karl Ludwig Görlitz.
Gerichtsschreiber » Philipp Jakob Huber.
Notär . . . » Franz Jakob Kunz, zu Herrstein.

Kanton Meisenheim.

Richter . . Herr Franz Carl.
Gerichtsschreiber » Jakob Spies.
Notäre . . { » Geisweiler, zu Meisenheim.
                » Ludwig Rischmann, das.
                » Heinrich Rischmann, das.

Kanton Rhaunen.

Richter . . Herr Karl Carl.
Gerichtsschreiber » Ludolff.
Notär . . . » Brauns, zu Morbach.

Kanton Wadern.

Richter . . Herr Schieber.
Gerichtsschreiber » Johann Baptist Götten.
Notär . . . » Johann Preßmann, zu Wadern

7) Kreis Ottweiler.

Kreisgericht. (Sitz zu St. Wendel.)

Präsident . . . Herr Joh. Baptist Geller.
Untersuchungsrichter » Ludwig Meyenfeld.
Richter . . . . » Anton August Meyer.
Ergänzungs- { » Joh. Nikolaus Riott.
Richter   » Mathias Tesper.
Staats-Prokurator » Friedrich Röchling.

Substitut . . Herr Franz Anton Kollei.
Obergerichtsschreiber » Johann Heinrich Schlinck.
Untergerichtsschreiber » Christoph Schreuer.

Advokaten . {
» Karl Friedrich Rebmann.
» Fried. Wilhelm Rupp.
» Peter Joseph Schraut.

Gerichtsboten
beim
Kreisgericht {
Herr Jak. Rochapfel, zu St. Wendel.
» Adam Clemens, daf.
» Joh. Nikolaus Mohr, daf.
» Dominik Pierron, daf.
» Christ. Streccius, zu Ottweiler.
» Ludwig Eichberg, daf.
» Thomas Jung, daf.
» Joseph Ketz, zu Waldmohr.
» Joh. Bapt. Marotte, zu Blieskastel.
» Joh. Franz Segmüller, daf.
» Georg Steinmer, zu Lehbach.
» Joh. Jak. Gassert, zu Tholey.

Friedensgerichte und Notariatsstellen.

Kanton St. Wendel.

Richter . . Herr Johann Nikolaus Riott.
Gerichtsschreiber » Franz Manouiß.
Notär . . . » Friedrich Eschrich, zu St. Wendel.

Kanton Blieskastel.

Richter . . Herr Franz Karl Derkum.
Gerichtsschreiber » Franz Wist.

Notäre . . {
» Karl Loth, zu Blieskastel.
» Joseph Plonquet, daf.
» Frz. Xav. Breunnig, zu Ensheim.

Kanton Lehbach.

Richter	. .	Herr Peter Daniel Amlinger.
Gerichtsschreiber	»	Johann Georg Johännchen.
Notäre	. . {	» Karl Friedrich Wilhelm Rausch, zu Lehbach.
		» Franz Bour, daf.

Kanton Ottweiler.

Richter	. .	Herr Christian Hafner.
Gerichtsschreiber	»	Christian Streccius.
Notäre	. . {	» Ludwig Kaiser, zu Ottweiler.
		» Friedrich Maurer, daf.

Kanton Tholey.

Richter	. .	Herr Mathias Tesper.
Gerichtsschreiber	»	Peter Bauer.
Notäre	. . {	» Peter Giraud, zu Tholey.
		» Karl Retienne, zu Thalerweiler.

Kanton Waldmohr.

Richter	. .	Herr Konrad Schimper.
Gerichtsschreiber	»	Franz Forberg.
Notäre	. . {	» Karl Guttenberger, zu Wald- mohr.
		» Nikolaus Hen, zu Limbach.

8) Die Kreise Simmern und Koblenz.

Kreisgericht. (Sitz in Simmern.)

(Für beide Kreise gemeinschaftlich).

Präsident	. .	Herr Philipp Hexamer.
Untersuchungsrichter	»	Jof. Benedikt Greys.

Richter . . {	Herr Joseph Jores.
	» Christian Hennemann.
Ergänzungs- {	» Wilhelm Blum.
Richter	» Johann Claudius Linz.
	» Nikolaus Steinberger.
Staats-Prokurater	» Peter Damian Joseph Bitter.
Substitut . . .	» Wilhelm Roechling.
Obergerichtschreiber	» Karl Joseph Weygold.
Untergerichtschreiber	» Joh. Anton Dicht.
	» Wilhelm Blum.
	» Johann Claudius Linz.
Anwälde {	» Joh. Christian Schourp.
	» Heinrich Reinecke.
	» Joseph Goerz.
	» Franz Peter Zeiz.

Herr Philipp Linn, zu Simmern.

    » Peter Joseph Richter, daſ.

    » Peter Schenck, daſ.

    » Jakob Schmitt, daſ.

    » Peter Mayer, daſ.

    » Franz Thüring, daſ.

    » Karl Leopold Habich, daſ.

Gerichtsboten » Johann Peter Düpreaur, daſ.

beim   » Adolf Poirez, zu Kreuznach.

Kreisgericht » Nikolaus Mathieu, daſ.

    » Franz Hesse, daſ.

    » Jakob Scherhag, daſ.

    » Franz Antoine, daſ.

    » Kaspar Ohaus, zu Sobernheim.

    » Jakob Delaforque, zu Bacharach.

    » Ferd. Droß, zu Kirchberg.

    » Christian Lerner, daſ.

Gerichtsboten beim Kreisgericht	Herr Theodor Fromel, daf. » Joseph Poetter, zu St. Goar. » Johann Bai, zu Zell. » Adam Arens, zu Treis. » Bernh. Jof. Clotten, zu Boppard.

Friedensgerichte und Notariatsstellen.

a) Kreis Simmern.

Kanton Simmern.

Richter . .	Herr Nikolaus Steinberger.
Gerichtsschreiber	» Joseph Staud.
Notär . . .	» Jakob Thüring, zu Simmern.

Kanton Bacharach.

Richter . .	Herr Fried. Philipp Horstmann.
Gerichtsschreiber	» Georg Franz Kremer.
Notäre . .	» Peter Diel. » Leopold Diel.

Kanton Castellaun.

Richter : .	Herr Christian Ludwig Schmitt.
Gerichtsschreiber	» Karl Christian Herrmann.
Notär . . .	» David Storck.

Kanton Kreuznach.

Richter . .	Herr Joseph Dheil.
Gerichtsschreiber	» Wilhelm Wenzel.
Notäre . .	» Johann Gerhard Potthoff. » Christian Kruft. » Joseph Mändel. » Karl Born.

Kanton Kirchberg.

Richter . . Herr Franz Freudenberg.
Gerichtsschreiber » Leopold Weygold.
Notär . . . » Christoph Diel.

Kanton Kirn.

Richter . . Herr Karl Joseph Korbach.
Gerichtsschreiber » Johann Jakob Blum.
Notär . . . » Daniel Paulitzky.

Kanton St. Goar.

Richter . . Herr Joseph Anton Wachter.
Gerichtsschreiber » Anton Macher.
Notär . . . » Anton Wachter.

Kanton Sebernheim.

Richter . . Herr Karl Philipp Neumann.
Gerichtsschreiber » Joseph Weiler.
Notäre . . { » Anton Scheuer.
{ » Georg Heinrich Herff.

Kanton Stromberg.

Richter . . Herr Joseph Borofini.
Gerichtsschreiber » Jakob Kampers.
Notäre . . { » Johann Linnemann.
{ » Franz Thouvenain.

Kanton Trarbach.

Richter . . Herr Daniel Franz.
Gerichtsschreiber » Ludwig Hargodt.
Notär . . . » Johann Peter Jakobi.

6) Kreis Koblenz.

Kanton Bopparb.

Richter . .	Herr Ferrer.
Gerichtsschreiber	» Ohlig.
Notäre . . {	» Deynet.
	» Theisen.

Kanton Treis.

Richter . .	Herr Wülfing.
Gerichtsschreiber	» Gelhausen.
Notär . . .	» Reiß.

Kanton Zell.

Richter . .	Herr Joseph Schumm:
Gerichtsschreiber	» Ludwig Müller.
Notäre . . {	» Adam.
	» Heinrich Antz.

c) In Hinsicht der kirchlichen Angelegenheiten.

I. Katholische Kirche.

---

a) Diözese Mainz.

Bischof zu Mainz.

Herr Joseph Ludwig Colmar.

Kapitel.

General-Vikarien. { Herr Joh. Jak. Humann zu Mainz.
» Bernhard Betz zu Worms.

Canonici . . . { » Gottlieb Hober.
» Wilhelm Dietler.
» Leopold Liebermann.
» Joh. Anton Firino.
» Franz Werner.
» Jakob Balzer.
» Ignaz Reinhard.

Honorar - Canonici.

HH. Keimer, Stark, Kalt, Pieblinger, Jonas, Wahl, Horn, Kehrer, Mertian, Rapedius, Hanrard.

Bischöfliches Seminarium.
(Siehe öffentlicher Unterricht.)

Kantons: und Sukkursal-Pfarrer.

1) Kreis Alzey.

Kanton Alzey.

Kantons-Pfarrer zu Alzey, Herr Franz Chardon.

Pfarrer zu
- Erbesbüdesheim, (unbesetzt.)
- Flonheim, » Peter Jos. Adelseck.
- Freimersheim, » Friedrich Annifer.
- Heimersheim, » Franz Sim. Noerber.
- Odernheim, » Peter Hänsgen.
- Weinheim, » Martin Bauer.

Kanton Bechtheim.

Kantons-Pfarrer zu Westhofen, Herr Joh. Mons.

Pfarrer zu
- Abenheim, » Nikol. Herr.
- Alsheim, » Franz Krönlein.
- Bechtheim, » (unbesetzt.)
- Eich, » J. Pet. Willmuth.
- Heppenheim, » (unbesetzt.)
- Heßloch, » Joh. Steingässer.
- Osthofen, » Joh. Genfert.

Kanton Bingen.

Kantons = Pfarrer zu Bingen, Herr Leonhard May.

Pfarrer zu
- Büdesheim, » Joh. Scheidel.
- Dietersheim, » Joh. Bender.
- Dromersheim, » Georg Mich. Wagenschwan.
- Gaulsheim, » Joseph Molinari.
- Gensingen, » (unbesetzt.)
- Kempten, » Peter Franz Will.
- Okenheim, » Bernhard Koch.

Kanton Kirchheimboland.

Kantons = Pfarrer zu Kirchheimboland,

Herr Wilh. Freundschick.

Pfarrer zu
- Gerbach, » Peter Jakob Frih.
- Kriegsfeld, » Pet. Ant. Schwarh.
- Stetten, » A. Kupferpfennig.

Kanton Niederolm.

Kantons = Pfarrer zu Niederolm, Herr Gottf. Hagenburg.

Pfarrer zu
- Bretzenheim, » Franz Chambien.
- Ebersheim, » Kaspar Kehrein.
- Finthen, » Michel Vogel.
- Gonsenheim, » Peter Keimer.
- Hechtsheim, » Bernh. Jos. Müller.
- Laubenheim, » Joh. Phil. Henrich.
- Marienborn, » Joh. Wollrath.
- Oberolm, » Joh. Weller.
- Weissenau, » Fr. Ant. Faulhaber.
- Zornheim, » Joseph Stang.

Kanton Oberingelheim.

Kantons-Pfarrer zu Algesheim, Herr Jakob Göbel.

Pfarrer zu
- Budenheim, » Michel Wohmann.
- Heidesheim, » Nikol. Johann.
- Mombach, » Joseph Lehmann.
- Niederingelheim, » J. A. Baumgarten.
- Oberingelheim, » Wilhelm Diel.
- Sauerschwabenheim, Herr Thaddäus Winterholler.

Kanton Oppenheim.

Kantons-Pfarrer zu Oppenheim, Herr Mellitus Müller.

Pfarrer zu
- Bodenheim, » Christoph Scherf.
- Guntersblum, » Jakob Schmelzer.
- Lörzweiler, » Adam Keller.
- Nackenheim, » David Volz.
- Nierstein, » Ludwig Schick.
- Weinolsheim, » Ignaz Müller.

Kanton Wöllstein.

Kantons-Pfarrer zu Wöllstein, Herr Fr. Adolph Debesché.

Pfarrer zu
- Badenheim, » Karl Ludwig Zirn.
- Freilaubersheim, » Jakob Jung.
- Fürfeld, » Franz Xav. Schmuttermayer.
- Planig, » Heinrich Klein.
- Sprendlingen, » Mathias Treppau.

Kanton Wörrstadt.

Kantons-Pfarrer zu Gauböckelheim, Herr Adam Zinn.

	Bechtolsheim,	Herr	(unbesetzt.)
	Friesenheim,	»	Georg Nunn.
	Gabsheim,	»	Bernhard Trau.
	Niedersaulheim,	»	Mart. Huhnmünch.
Pfarrer zu	Niederweinheim,	»	Georg Schaberger.
	Oberhilbersheim,	»	Gregor. Hartmann.
	Spießheim,	»	Joh. Peter Engel.
	Sulzheim,	»	(unbesetzt.)
	Undenheim,	»	Johannes Reinfeld.
	Vendersheim,	»	(unbesetzt.)

2) Kreis Speyer.

Kanton Dürkheim.

Kantons-Pfarrer zu Deidesheim, Herr Konr. Schneider.

	Dackenheim,	»	Wilh. Seyfried.
	Freinsheim,	»	(unbesetzt.)
	Niederkirchen,	»	Michel Schwoll.
Pfarrer zu	Pfeffingen,	»	Michel Krämer.
	Rödersheim,	»	Joseph Klinger.
	Ruppertsberg,	»	Franz Pet. Spekert.
	Wachenheim,	»	Ludwig Eckard.

Kanton Edenkoben.

Kantons-Pfarrer zu Edenkoben, Herr Joh. Pet. Wengler.

	Burrweiler,	»	Valentin Pauli.
	Edesheim,	»	Anton Wolf.
	Gleisweiler,	»	Joh. Jakob Wenger.
Pfarrer zu	Großfischlingen,	»	Philipp Stecher.
	Hainfeld,	»	Nikolaus Zitz.
	Insheim,	»	(unbesetzt.)
	Kirrweiler,	»	Franz Stephan.

Pfarrer zu	Maikammer,	Herr	Edmund Day.
	St. Martin,	»	Johann Lang.
	Offenbach,	»	Johann Metz.
	Roßbach,	»	Johann Ziegler.
	Venningen,	»	Joh. Valent. Rübel.
	Weyer,	»	Joh. Georg Goebel.

Kanton Frankenthal.

Kantons-Pfarrer zu Frankenthal, Herr Heinrich Graf.

Pfarrer zu	Eppstein,	»	Georg Iff.
	Heßheim,	»	Ph. M. Grothe.
	Lambsheim,	»	Peter Heußer.
	Oppau,	»	Bernhard Negele.
	Rexheim,	»	Jak. Holdenried.

Kanton Germersheim.

Kantons-Pfarrer zu Germersheim, Herr Joh. Mayer.

Pfarrer zu	Lingenfeld,	»	Joh. Ant. Bill.
	Oberlustadt,	»	Fr. Rud. Nikolay.
	Ottersheim,		(unbesetzt).
	Zeiskamm,	»	Georg M. Keller.
	Oberhochstadt,	»	Joh. Val. Giesel.

Kanton Grünstadt.

Kantons-Pfarrer zu Dirmstein, Herr Georg Bachmayer.

Pfarrer zu	Voßweiler,	»	Joh. Rieden.
	Großbockenheim,	»	Joh. Jak. Gerecht.
	Großkarlenbach,	»	Jos. Val. Sutor.
	Grünstadt,	»	Gabriel Hachspiel.
	Laumersheim,	»	Jos. Heß.

6

Pfarrer zu { Leidelheim, Herr Joh. Miltenberger.
Neuleiningen, » Jak. Beck.
Wattenheim, » Joh. Mich. Breun.

Kanton Mutterstadt.

Kantons-Pfarrer zu Mutterstadt, Herr Jakob Stamm.

Pfarrer zu { Böhl, Herr Fried. Joh. Trommer.
Dannstadt, » Georg Adam Wolf.
Friesenheim, » (unbesetzt).
Fusgönheim » J. Kasp. Jos. Dillenburg.
Hochdorf, » Jakob Urban.
Iggelheim, » Joseph Klamm.
Mundenheim » Franz Karl Lauer.
Oggersheim, » Gottfried Kraus.

Kanton Neustadt.

Kantons-Pfarrer zu Neustadt, Herr Jak. Jungken.

Pfarrer zu { Diedesfeld, » Christian Löe.
Duttweiler, » Joseph Ziegler.
Elmstein, » Fried. Müller.
Esthal, » Wilhelm Raub.
Geinsheim, » Franz Anton Gärber.
Grävenhausen, » Franz Didier.
Hambach, » Math. Schollhorn.
Haßloch, » (unbesetzt).
Königsbach, » Joh. Pet. Ad. Britt.
Meckenheim, » Adam Schleyfelder.
Weidenthal, » Adam Will.

Kanton Pfeddersheim.

Kantons-Pfarrer zu Pfeddersheim, Herr Phil. Jak. Nut.

	Dalsheim,	Herr Frz. Jos. Bütgenbach.
	Gundersheim,	(unbesetzt).
	Gundheim,	» Joh. Adam Keller.
Pfarrer zu	Hernsheim,	» Heinrich Geb.
	Hohensülzen,	» Barth. Trümper.
	Horchheim,	» Joh. Jos. Endres.
	Oberflörsheim,	» Jos. Vinzenz Kast.
	Offstein,	» Georg Jos. Metzger.

Kanton Speyer.

Kantons-Pfarrer zu Speyer, Herr Frz. Christ. Günther.

	Duttenhofen,	(unbesetzt).
	Harthausen,	» Joseph Schöpf.
Pfarrer zu	Heiligenstein,	» Adam Rübel.
	Otterstadt,	» Leop. Baumgarten.
	Schifferstadt,	» Georg Stöckinger.
	Waldsee,	» Konrad Fuchs.

Kanton Worms.

Kantons-Pfarrer und Pfarrer bei
der alten Kathedralkirche zu Worms, Herr Georg Werle.
Pfarrer bei der St. Martinskirche
daselbst . . . . Herr Peter Franz Dannenfels.

3) Kreis Kaiserslautern.

Kanton Göllheim.

Kantons-Pfarrer zu Göllheim, Herr Joh. Phil Martin.

	Ottersheim,	» Hieron. Hornung.
Pfarrer zu	Weitersweiler,	» Andreas Ernst.
	Zell,	» Nikol. Thommes.

Kanton Kaiserslautern.

Kantons-Pfarrer zu Kaiserslautern, Herr Joh. Bellos.

Pfarrer zu
- Enkenbach, » Wilh. Stengel.
- Hochspeyer, » (unbesetzt).
- Trippstadt, » Herm. Eberhard.
- Weilerbach, » Nikolaus Mieg.

Kanton Lauterecken.

Kantons-Pfarrer zu Lauterecken, Herr Heinr. Reifwein.
Pfarrer zu Reipoltskirchen, (unbesetzt).

Kanton Obermoschel.

Kantons-Pfarrer zu Obermoschel, Herr Joh. Dümont.

Pfarrer zu
- Ebernburg, » Franz Dehler.
- Feil, » (unbesetzt).
- Oberndorf, » (unbesetzt).

Kanton Otterberg.

Kantons-Pfarrer zu Otterberg, Herr Christ. Brückner.

Pfarrer zu
- Otterbach, » (unbesetzt).
- Schallodenbach, » Georg Ewald.

Kanton Rockenhausen.

Kantons-Pfarrer zu Rockenhausen, Herr Fried. Baumann.
Pfarrer zu Bayerfeld, » Frz. Ackermann.

Kanton Winnweiler.

Kantons-Pfarrer zu Winnweiler, Herr Philipp Vogt.

Pfarrer zu
- Börrstadt, » (unbesetzt).
- Imsweiler, » Wern. Elsinger.

Kanton Wolfstein.

Kantons-Pfarrer zu Wolfstein, Herr Joh. Taufenbach.

4) Kreis Zweybrücken.

Kanton Annweiler.

Kantons-Pfarrer zu Annweiler, Herr Franz Daffie.

Pfarrer zu

Albersweiler,	»	Hauß.
Birkenhörd,		(unbesetzt).
Eschbach,	»	Franz Adam Christ.
Göcklingen,		(unbesetzt).
Gossersweiler,	»	Dominikus Krauth.
Godramstein,	»	J. K. Langenfeld.
Ramberg,	»	Nik. Zils.
Schwanheim,	»	Melchior Jann.
Wernersberg,		(unbesetzt).

Kanton Dahn.

Kantons-Pfarrer zu Dahn, Herr J. G. Frz. Serrarius.

Pfarrer zu

Bundenthal,	»	Jos. Osterradt.
Hauenstein,	»	Georg Seb. Maurer.
Schlettenbach,	»	G. Mich. Adelmann.
Busenberg,	»	Thomas Götzmann.

Kanton Homburg.

Kantons-Pfarrer zu Homburg, Herr Val. Dörr.

Pfarrer zu

Kirberg,	
Wiesbach,	(unbesetzt).

Kanton Landstuhl.

Kantons-Pfarrer zu Landstuhl, Herr Jos. Kvemp.

Pfarrer zu	Bann,	Herr Joh. Mich. Weber.
	Kirchenarmbach,	(unbesetzt).
	Kirchmohr,	» Joh. H. Wirthfeld.
	Labach,	» Ant. Ad. Resch.
	Mühlbach,	» Mathias Jücker.
	Obermohr,	(unbesetzt).
	Ramstein,	» Christian Greiner.
	Reichenbach,	» Peter Hauck.

Kanton Medelsheim.

Kantons-Pfarrer zu Medelsheim, Herr Wenz. Schindelar.

Pfarrer zu	Altheim,	» Nikolaus Jerome.
	Niedergailbach,	(unbesetzt).
	Walsheim,	» Frz. Pet. Schmitz.

Kanton Neuhornbach.

Kantons-Pfarrer zu Neuhornbach, Herr Georg Nunn.
Pfarrer zu Großsteinhausen, Herr Franz Jos. Hermann.

Kanton Pirmasens.

Kantons-Pfarrer zu Pirmasens, Herr Joh. Schang.

Pfarrer zu	Fehrbach,	» Joh. Mayer.
	Vinningen,	» Anton Breidbach.
	Rodalben,	» Nikol. Ganter.
	Schönau,	» Michel Ehr.
	Trulben,	» Fr. Xaver Schmitz.

Kanton Waldfischbach.

Kantons-Pfarrer zu Horbach, Herr Joh. Michel Spos.

Pfarrer zu	Heltersberg,	» Joh. Val. Vollmer.
	Klausen,	» Franz Xaver Kieser.
	Merzalben,	» Franz Jos. Bengel.
	Weselberg,	» Ignaz Kling.

Kanton Zweybrücken.

Kantons-Pfarrer zu Zweybrücken, Herr Joh. Piblinger.

Pfarrer zu $\left\{\begin{array}{l}\text{Contwig,} \qquad\qquad \text{(unbesetzt).}\\ \text{Maßweiler,} \qquad \text{»} \quad \text{Georg Paser.}\end{array}\right.$

b). Diözese Trier.

Bischof zu Trier.

Herr Karl Mannay.

Kapitel.

General-
Vikarien. $\left\{\begin{array}{l}\text{Herr Anton Cordel.}\\ \text{»} \quad \text{Simon Garnier.}\end{array}\right.$

Kapitular-
Kanonici $\left\{\begin{array}{l}\text{»} \quad \text{Hubert von Piboll.}\\ \text{»} \quad \text{Joh. Mathias Raab.}\\ \text{»} \quad \text{Joh. Nikolaus von Koutheim.}\\ \text{»} \quad \text{Hubert Mannay.}\\ \text{»} \quad \text{Joh. Michel Schimper.}\\ \text{»} \quad \text{Thomas Billen.}\\ \text{»} \quad \text{Ludwig Bertrand Prestinary.}\\ \text{»} \quad \text{Peter Joseph Weber.}\end{array}\right.$

Honorar-
Kanonici $\left\{\begin{array}{l}\text{»} \quad \text{Nalbach.}\\ \text{»} \quad \text{Dahm.}\\ \text{»} \quad \text{Hermann.}\\ \text{»} \quad \text{von Baring.}\\ \text{»} \quad \text{Kiweler.}\\ \text{»} \quad \text{Gerardin.}\\ \text{»} \quad \text{Stieldorf.}\end{array}\right.$

Bischöfliches Seminarium.

Regens, Herr Billen.

Professoren, HH. Gerz, Weber, Schue.

	Herr Cordel, Generalvikar, Präsident.
Verwaltungs-Kommission	» Billen, Weber, Schimper, Verwalter.
	» Simon, Wagner, Oekonomen.

Kantons- und Sukkursal-Pfarrer.

5) Kreis Trier.

Kanton Bernkastel.

Kantons-Pfarrer zu Bernkastel, Herr Joh. Jak. Furius.

Pfarrer zu	Dusemond,	» Jakob Göllering.
	Gräach,	» Joh. Simonis.
	Longkamp,	» Peter Göbel.
	Menzelfeld,	» Peter Rapedius.
	Rachtig,	» Joh. Wilh. Lauer.
	Veldenz,	» J. Heinr. Krischer.
	Winterich,	» Jakob Schnizius.
	Zeltingen,	» Franz Kenen.

Kanton Conz.

Kantons-Pfarrer zu Conz, Herr Franz Ant. Fischer.

Pfarrer zu	Canzem,	» Joh. Hilbert.
	Crettnach,	» Joh. Neurohr.
	Gutweiler,	» Mathias Thomm.
	Hamm,	» Joh Nik. Besselich.
	Irsch,	» Joh. Adam Bleins.
	Lambaden,	» Ant. Peter Weber.
	Litterf,	» Joseph Lambert.
	Nittel,	» Math. Mathieu.
	Oberemmel,	» Kaspar Koch.
	Pillingen,	» J. M. Schneider.

	Pluwig,	Herr Joh. Barain.	
	Schöndorf,	» Peter Alois Licht.	
	Tawern,	» Joh. Peter Dosser.	
Pfarrer zu	Temmels,	» Joh. Pet. Stemper.	
	Wasserlisch,	» Michel Kelsen.	
	Wildingen,	» Joh. Nik. Sirker.	
	Wincheringen,	» Joh. Nik. Mathieu.	

Kanton Merzig.

Kantons-Pfarrer zu Merzig, Herr Ignaz Rossen.

	Bietzen,	» Jakob Otto.	
	Britten,	» Mathias Kranz.	
	Broddorf,	» Joh. Görges.	
	Büdingen,	(unbesetzt).	
	Gangelf,	» Joh. Wagener.	
	Hilbringen,	» Joh. Weyer.	
Pfarrer zu	Lesheim,	» Math. Guckeisen.	
	Orschholz,	» Steph. Arnoldy.	
	Saarholzbach,	» Nik. Dutlinger.	
	Tinsdorf,	» Peter Baden.	
	Wahlen,	» J. Math. Steffeni.	
	Weiten,	» Joh. Wilh. Hesse.	

Kanton Neumagen.

Kantons-Pfarrer zu Büdlich, Herr Wilhelm Castelle.

	Berg,	» Clemens Pulch.	
	Bescheid,	» Benedikt Scholer.	
	Beuren,	» Heinrich Huth.	
Pfarrer zu	Detzem,	» Daniel Beythorn.	
	Leiwen,	» Andreas Bischof.	
	Niederemmel,	» Joh. Jak. Haubs.	
	Schönberg,	» Mathias Kettern.	

Kanton Ruver.

Kantons-Pfarrer zu Ruver, Herr Joh. Irfch.

Pfarrer zu
- Fell, » Joh. Pet. Blafius.
- Lenguich, » Franz Teb. Müller.
- Morfcheid, » Franz Seybel.
- Waltrach, » Chriftoph Klitfch.

Kanton Saarburg.

Kantons-Pfarrer zu Saarburg, Herr Peter Reget.

Pfarrer zu
- Befch, (unbefetzt).
- Borch, » Chriftoph For.
- Freudenburg, » Ph. Jef. Schreiner.
- Helfand, (unbefetzt).
- Henteren, » Lukas Weber.
- Irfch, » Karl Efchermann.
- Kirf, » Heinrich Michels.
- Kreuzweiler, » Niko. Sandt.
- Mandern, » Heinrich Junk.
- Mannebach, » Nikol. Hurdt.
- Nennig, » Ignaz Jef. Gres.
- Oberleuken, » Joh. Jak. Leonard.
- Perl, » Joh. Nalbach.
- Perz, » Joh. Lichter.
- Taben, » Albert Fröauf.
- Tettingen, » Joh. Müller.
- Zerf, » J. Bened. Roffen.

Kanton Trier.

Kantons-Pfarrer zu Trier, Herr J. W. Schreiber.

Pfarrer zu
- St. Mathias, » Vikt. Jef. Devora.
- St. Paulin, » Bruno Schmitt.

Pfarrer zu {
St. Antonius, Herr Peter Conrad.
St. Gerwasius, » J. Emmerich Raas.
U. Liebenfrauen, » Fr. Heinr. Thome.
St. Paulus, » Karl W. Philippi.

6) Kreis Birkenfeld.

Kanton Baumholder.

Kantons-Pfarrer zu Baumholder, Herr Theod. Creins.

Pfarrer zu {
Freisen, » Anton Rausch.
Kirchenbollenbach, » Joh. Leyendecker.
Wolfersweiler, (unbesetzt).

Kanton Birkenfeld.

Kantons-Pfarrer zu Birkenfeld, Herr Joh. Jos. Brandt.
Pfarrer zu Bleidersdingen, » Math. Alois Flesch.

Kanton Cusel.

Kantons-Pfarrer zu Cusel, Herr Peter Thilmany.
Pfarrer zu Remigiiberg, » Wilhelm Hembach.

Kanton Grumbach.

Kantons-Pfarrer zu Sien, Herr Joh. Adam Nick.

Pfarrer zu {
Weyerbach, (unbesetzt).
Offenbach, » Nikol. Schneefeld.

Kanton Hermeskeil.

Kantons-Pfarrer zu Hermeskeil, Herr Heinrich Weber.

Pfarrer zu {
Farschweiler, » Frz. Ant. Lejeuner.
Geisfeld, » Konrad Glöckne.
Malborn, » Math. Werner.
Nonweiler, » Joh. Perl.

Pfarrer zu {
Osburg,   Herr J. Zimmermann.
Ozzenhausen,   (unbesetzt).
Raschrid,   (unbesetzt).
Reinsfeld,   » Christian Christ.
Schillingen,   » J. Pet. Hembach.
Thonun,   » Martin Winter.
Züsch,   » Peter Kremer.

Kanton Herrstein.

Kantons-Pfarrer zu Oberstein,   Herr Adam Lehner.
Pfarrer zu Kirnsulzbach,   (unbesetzt).

Kanton Meisenheim.

Kantons-Pfarrer zu Meisenheim,   Herr Pet. Schreiber.
Pfarrer zu {
Lauschied,   (unbesetzt).
Staudernheim,   » Heinrich Collet.
Merrheim,   (unbesetzt).

Kanton Rhaunen.

Kantons-Pfarrer zu Rhaunen,   Herr Joh. Adam Ryser.
Pfarrer zu {
Bischofsthron,   » Peter Kersch.
Bundenbach,   » Joh. Staud.
Merschied,   » Joh. Flesch.
Morschied,   » Engelbert Lenz.
Wahlholz,   » Joh. Pet. Feilen.

Kanton Wadern.

Kantons-Pfarrer zu Wadern,   Herr Math. Classen.
Pfarrer zu {
Confeld,   » Joh. Aufmesser.
Lockweiler,   » J. Pet. Anheiser.
Mettnich,   » Joh. Schieber.

Pfarrer zu
{
Neunkirchen,   Herr Jakob Moritz.
Caſtel,   » Joh. Hein.
Nunkirchen,   » Bernard Ewen.
Wadrill,   » J.M.Sauerborn.
Weiskirchen,   » Joseph Hütter.
}

7) Kreis Ottweiler.

Kanton Blieskaſtel.

Kantons-Pfarrer zu Blieskaſtel, Herr Wilh. Torſch.

Pfarrer zu
{
Bebelsheim,   » J. Ludw. Rigaur.
Bieſingen,   » Maternus Joſten.
Blickweiler,   » Joh. Vogt.
Mengen,   » Lambert Müller.
Ensheim,   » J. H. Schröder.
Erfweiler,   » Joseph Degel.
Habkirchen,   » Joh. Groh.
St. Ingbert,   » Fr. Heuschling.
Lautzkirchen,   » Mathias Löhr.
Ommersheim,   » Joh. Hard.
Reinheim,   » Jos. Allgayer.
Rübenheim,   » Joh. Neubecker.
}

Kanton Lehbach.

Kantons-Pfarrer zu Lehbach, Herr Johann Freund.

Pfarrer zu
{
Düppenweiler,   » Johann Bicking.
Eyweiler,   » Georg Jungblut.
Heusweiler,   » Arnold Stein.
Nalbach,   » Mathias Kimmer.
Hüttersdorf,   » Joh. Schneider.
Reisweiler,   » Karl Theis.
Wellingen,   » Heinrich Rompel.
}

Pfarrer zu { Schwarzenholz, Herr Barthol. Blaß.
Wiesbach, » Friedrich Elbert.

Kanton Ottweiler.

Kantons-Pfarrer zu Ottweiler, Herr Joh. Seb. Kranz.

Pfarrer zu {
Illingen, » Joh. Kleren.
Neunkirchen, » Peter Heinz.
Schiffweiler, » Lorenz Müller.
Spiesen, (unbesetzt).
Uchtelfangen, » J. Jos. Hofmann.
Urexweiler, » Friedr. Neurohr.

Kanton St. Wendel.

Kantons-Pfarrer zu St. Wendel, Herr Math. Feilen.

Pfarrer zu {
Furschweiler, » J. Pet. Seyler.
Hasborn, » Georg Zeyen.
Oberkirchen, » M. Orgelmacher.
Theley, » Joh. Jos. Hees.

Kanton Tholey.

Kantons-Pfarrer zu Tholey, Herr J. Georg Gottfried.

Pfarrer zu {
Alsweiler, » J. Pet. Weismüller.
Bettingen, » Anton Klemens.
Bliesen, (unbesetzt).
Eppelborn, » Peter Jos. Laur.
Erweiler, » Heinr. Demmerath.
Limbach, » Nikolaus Schmitt.
Marpingen, » Mathias Hoff.
Naumborn, » Joh. Adam Laur.
Oberthal, » Math. Dixius.

Kanton Waldmohr.

Kantons-Pfarrer zu Rhbelberg, Herr Jos. Georg Lauer.

Pfarrer zu
- Breidenbach, » Peter Kruchten.
- Brücken, » Mathias Münsch.
- Hayen, (unbesetzt).
- Mittelberbach, » Joseph Pfeiffer.
- Münchweiler, · » J. Jak. Serwais.

8) Kreis Simmern.

(Gehört dermalen noch zu der Diözese von Aachen.)

Kanton Bacharach.

Kantons-Pfarrer zu Oberwesel, Herr Anton Berschens.

Pfarrer zu
- Bacharach, » Sebastian Jammes.
- Damscheid, » Balthasar Graas.
- Niederheimbach, » J. Pet. Heidinger.
- Oberheimbach, » H. Ant. Wohmann.
- Perscheid, » Joh. Mich. Mies.
- Trechtingshausen, » Joh. Jak. Nauth.

Kanton Castellaun.

Kantons-Pfarrer zu Castellaun, Herr Anton Simon.

Pfarrer zu
- Beltheim, » Joh. Nik. Kneip.
- Buch, » Georg Karl Anton Kaiserswerth.
- Mörsdorf, » J. Pet. Pellenz.
- Sabershausen, » Phil. Steffens.
- Sevenich, » Heinr. Theisen.

Kanton Kirchberg.

Kantons-Pfarrer zu Kirchberg, Herr Pet. Heinr. Dieblich.

119

Pfarrer zu
- Altlay, (unbesetzt).
- Cappel, Herr Mathias Schmitt.
- Dickenscheid, » Christian Grimm.
- Gemünden, » Joh. Nep. W. Felix.
- Laufferweiler, » J. Math. Bernard.
- Sohren, » J. Chr. Jos. Zippel.

Kanton Kirn.

Kantons-Pfarrer zu Kirn, Herr Joh. Gottf. Kucherz.

Pfarrer zu
- Bruchscheid, » Mar. Frz. J. Cläsgen.
- Oberhausen, (unbesetzt).
- Seesbach, (unbesetzt).

Kanton Kreuznach.

Kantons-Pfarrer zu Kreuznach, Herr Jakob Stanger.

Pfarrer zu
- Braunweiler, (unbesetzt).
- Bretzenheim, » Joh. N. Walcher.
- Heddesheim, » Karl Koch.
- Norheim, » B. Grünewald.
- Roxheim, » J. Hein. Schmitt.

Kanton St. Goar.

Kantons-Pfarrer zu St. Goar, Herr Joh. Baumgarten.

Pfarrer zu
- Lingehahn, » Pet. Pauli.
- Niederburg, » Peter Carbach.
- Norath, » Math. Jung.

Kanton Simmern.

Kantons-Pfarrer zu Simmern, Herr Valent. Lechner.

Pfarrer zu
- Biebern, » Mathias Junk.
- Laubach, » Inoz. Ad. Hißgen.

Pfarrer zu {
Ravengiersburg, Herr Joh. Pet. Schäffer.
Raperschied, » Joseph Stockmar.
Rheinböllen, » Heinr. Pet. Rösler.
Schnerbach, » Joh. Georg Wolf.

Kanton Sobernheim.

Kantons-Pfarrer zu Sobernheim, Herr J. J. Windeck.

Pfarrer zu {
Martinstein, » Stephan Strahl.
Rehbach, » Johann Trieb.
Sponheim, » Martin Klein.
Waldböckelheim, » Nikolaus Cönen.

Kanton Stromberg.

Kantons-Pfarrer zu Stromberg, Herr Peter Werbè.

Pfarrer zu {
Darweiler, » Mathias Thomas.
Dörrenbach, (unbesetzt.)
Münster, » Christoph Zimmer.
Schönenberg, » Pet. Heinr. Kissel.
Spabrücken, » Mathias Zimmer.
Waldalgesheim, » J. Heinr. Benzing.
Waldhilbersheim, » Joh. Adam Rohr.
Walhausen, » Joh. Jakob Illger.
Weiler, » Ferd. Schneider.
Winnesheim, » Joh. Dörrhöfer.

Kanton Trarbach.

Kantons-Pfarrer zu Pünderich, Herr Joh. Jak. Thees.

Pfarrer zu {
Burg, » Domin. Hoffeld.
Enkirch, (unbesetzt.)
Hirschfeld, » J. Nik. Pfeiffer.
Trarbach, (unbesetzt.)

7

9) Kreis Koblenz.

(Gehört dermalen noch zu der Diözese von Aachen.)

Kanton Boppard.

Kantons-Pfarrer zu Boppard,	Herr	Joh. Nik. Bens.
Alken,	»	Gerhard Schmitz.
Bickenbach,	»	Andreas Steffes.
Capellen,		(unbesetzt.)
Dieblich,	»	Joh. Jak. Preiß.
Halsenbach,	»	Joh. Pet. Haubs.
Herschwiesen,	»	Nik. Mesenburg.
Hirzenach,	»	J. W. Jos. Keller.
Lay,	»	Stephan Klein.
Moselweis,		(unbesetzt.)
Niederfell,		(unbesetzt.)
Niederspay,	»	Johann Kemp.
Oberfell,	»	Joh. M. Müller.
Rhens,	»	Anton Neumann.
Salzig,	»	Joh. Gerh. Hoegg.

Pfarrer zu { (Alken … Salzig)

Kanton Treis.

Kantons-Pfarrer zu Treis,	Herr	Mathias Göbel.
Beulich,	»	Friedrich Bläser.
Bruttig,	»	Joh. Nik. Feuser.
Burgen,	»	Michel Scheuren.
Cond,	»	Sebast. Jos. Wirtz.
Dremershausen,	»	Joh. Steinem.
Lütz,	»	Peter Wagner.
Obergondershausen	»	Johann Thomae.
Valwig,	»	J. Georg Pliester.

Pfarrer zu { (Beulich … Valwig)

Kanton Zell.

Kantons-Pfarrer zu Zell,	Herr Joh. Ad. Schneck.

Pfarrer zu

Beilstein,	»	J. W. Schwenken.
Blankenrath,	»	Math. Vit. Engel.
Briedel,	»	J. P. Seb. Hulden.
Grenderich,	»	Frz. Wilh. Dieben.
Mastershausen,	»	Joh. Peter Brand.
Merl,	»	Jakob Schlick.
Mittelstrimmig,	»	Joh. Pellenz.
Neef,	»	Joh. Peter Münch.
Peterswald,	»	Joh. Wagner.
Senheim,	»	Ant. Dreymüller.

II. Lutherische Kirche.

Generalkonsistorium.

(Noch nicht gebildet.)

1) Kreis Alzey.

Konsistorium von Mainz.

Präsident, Herr Georg Heinrich Hacker, Pfarrer zu Partenheim.

Pfarrer zu Mainz, Herr Friedrich Nonweiler (siehe den Artikel Mainz).

Pfarrer zu {

Oberingelheim, Herr Theod. Schukmann.
Jugenheim, » Joh. Christ. Lucius.
Niedersaulheim, » J. H. Phil. Köster.
Obersaulheim, » Friedrich Ernst Bock.
Udenheim, » Heinr. Mich. Ernst.
Schornsheim, » Karl Phil. Georgi.
Undenheim, » Karl Schmitt.
Hanheim, » F. A. Scheuermann.
Köngernheim, » G. Ph. Schönfeld.
Oppenheim, » J. P. Scheuermann.
Nierstein, » Georg Fried. Lucius.
Mommernheim, » Karl Friedr. Greim.
Hartheim, » Karl Dietzsch.

Konsistorium von Alzey.

Präsident, Herr Friedrich Franz Matty, Pfarrer zu Alzey.

Pfarrer zu {

Köngernheim, Hr. Joh. Leonhard Gresch.
Framersheim, » Philipp Touton.
Bornheim, (unbesetzt.)
Flonheim, » Joh. Schrumpf.
Wendelsheim, » Heinr. Schönfeld.
Eckelsheim, » Karl Ph. Schönfeld.
Neubamberg, » Karl Phil. Huth.
Wöllstein, (unbesetzt.)
Planig, » Georg Wesarg.
Gensingen, » Andreas Lahr.
Badenheim, » G. Chr. Streuber.
Wallertheim, » Phil. Jak. Göbel.
Eichloch, » J. Georg Wesarg.

Konsistorium von Guntersblum.

Präsident, Herr Joh. Jak. Paul, Pfarrer zu Guntersblum.

Pfarrer zu	Alsheim,	Herr Georg Wilh. Stumpf.
	Mettenheim,	» Joh. Heinr. Scherer.
	Osthofen,	» Chr. Wilh. Pfeiffer.
	Hillesheim,	» K. Fr. Chr. Helmrich.
	Dolgesheim,	» Joh. Chr. Nonweiler.
	Friesenheim,	» Karl Flick.
	Bechtolsheim,	» Joh. J. Schuckmann.
	Wörrstadt,	» Adolph Dietzsch.
	Dalheim,	» Karl Stuber.
	Bechtheim,	» Joh. Peter Balz.

Konsistorium von Kirchheimboland.

Präsident, Herr Wilh. Chelius, Pfarrer zu Ilbesheim.

Pfarrer zu	Kirchheimboland,	Hr. Fried. Ludw. Wanzel.
	Daselbst,	» Eggerling.
	Bischheim,	» Fried. Karl Liebrich.
	Albisheim,	» Karl Herrmann.
	Morschheim,	» Chr. Schmidtborn.
	Niederwiesen,	» Karl Beckenhaupt.
	Steinbockenheim,	» Joh. Ludw. Flick.
	Fürfeld,	» K. L. Beckenhaupt.
	St. Alban,	» Karl Friedrich Ley.
	Jakobsweiler,	(unbesetzt.)
	Dannenfels,	» Christian Hahn.
	Gauersheim,	» Friedr. Arn. Rulfs.

*), Kreis Speyer.

Konsistorium von Worms.

Präsident, Herr Friedr. Aler. Graf, Pfarrer zu Worms.

Pfarrer zu	Worms, (2ter)	Herr Joh. David Bauer.
	Pfeddersheim,	» Konrad Böttiger.

Pfarrer zu
{
Dahlsheim, Herr Joh. Gottlieb Härter.
Monsheim, (unbesetzt.)
Wachenheim, » Joh. Ludw. Büchner.
Hohensülzen, » Karl Julius Volmar.
Heppenheim, » Christoph Dollinger.
}

Konsistorium von Frankenthal.

Präsident, Herr Joh. Nik. Heinr. Kräuter, Pfarrer zu Frankenthal.

Pfarrer zu
{
Rheingönheim, Herr Ph. Vanderheyden.
Fusgönheim, » J. H. Piton (Sohn).
Ellerstadt, » Bernard Huth.
Freinsheim, » J. K. W. Michaelis.
Lambsheim, (unbesetzt.)
Groskarlenbach, » Karl Jul. Schreiner.
Gerelsheim, » J. Dan. Nonweiler.
Heuchelheim, » J. H. Piton (Vater).
Grosniedesheim, » Fried. Ludw. G. Koch.
Kleinniedesheim, (unbesetzt.)
}

Konsistorium von Speyer.

Präsident, Herr Joh. Jak. Wolf, Pfarrer zu Weingarten.

Pfarrer zu
{
Speyer, Herr G. Fried. Wilh. Spatz.
daselbst, (2ter) (unbesetzt.)
Schwegenheim, (unbesetzt.)
Germersheim, » Friedr. Bozenhard.
Freimersheim, » Christoph Fliedner.
Kleinfischlingen, » Chr. Fried. Schmidt.
Böchingen, » Friedr. Melsheimer.
Rhodt, » Jak. Christian Wolf.
}

Pfarrer zu {
Ebenkoben, Herr Aurelius Ferd. Mahla.
Gommersheim, » Joh. Herancourt.
Eſſingen, » Joh. Gottl. Merkel.

Konſiſtorium von Dürkheim.

Präſident, Herr Peter Hartmann, Pfarrer zu Dürkheim.

Pfarrer zu {
Dürkheim (2r) Herr Joh. Wilh. Braun.
Haßloch, » Karl Walther.
Neuſtadt, » Ph. Jak. Schönemann,
Wachenheim, (unbeſetzt.)
Ungſtein, » Friedrich Leopold.
Kallſtadt, » Karl Franck.
Weiſenheim, » Georg Reitz.
Herrheim, » Heinr. Mart. Leopold.
Battenberg, » Friedrich Raitz.

Konſiſtorium von Grünſtadt.

Präſident, Herr Joh. Karl Schöll, Pfarrer zu Klein-
bokenheim.

Pfarrer zu {
Grünſtadt, Herr Fried. Leopold Tenner.
Alboheim, (unbeſetzt.)
Aſſelheim, » Karl Geiger.
Ebertsheim, » Joh. Adam Voltz.
Tieffenthal, » Karl Chriſtian Kraft.
Altleinnigen, » Kraft.
Sauſenheim, » Wilhelm Baltz.
Kirchheim, » Aug. Gottf. Gutheil.
Biſſersheim, » Friedrich Bergmann.
Colgenſtein, » Samuel Köſter.
Mühlheim, » Chriſt. Friedr. Geiger.
Kindenheim, » Lorenz Fleiſchmann.

3) Kreis Kaiserslautern.

Konsistorium von Kaiserslautern.

Präsident, Herr Wilh. Gerlach, Pfarrer zu Kaiserslautern.

Pfarrer zu
- Hochspeyer, Herr Christoph Heuser.
- Heimkirchen, » Ernst Wehn.
- Jettenbach, » Friedrich Hauber.
- Neunkirchen, » Karl Pelzer.
- Otterberg, (unbesetzt.)
- Niederkirchen, » Philipp Jakob.
- Sembach, » Joh. Nikol. Weber.
- Trippstadt, » Peter Fabricius.
- Rathskirchen, » Peter Weiß.

Konsistorium von Winnweiler.

Präsident, Herr Joh. Pet. Vogel, Pfarrer zu Winnweiler.

Pfarrer zu
- Büdesheim, (unbesetzt.)
- Eisenberg, Herr Joh. Val. Machwirth.
- Göllheim, » Joh. Georg Schefer.
- Imsbach, (unbesetzt.)
- Kerzenheim, » J. Frz. C. Machwirth.
- Lautersheim, » J. T. C. Nonweiler.
- Marienthal, » Franz Karl Kall.
- Münchweiler, » Christian Karl Vogel.
- Sippersfeld, » Georg Jak. Volmar.
- Steinbach, » Phil. Nikol. Zöller.
- Rüssingen, » Joh. Nikol. Zöller.

Konsistorium von Obermoschel.

Präsident, Herr Friedr. Simon, Pfarrer zu Gaugrehweiler.

Pfarrer zu {
Altenbamberg, Herr Christian Wilh. Lauer.
Dielkirchen, » Christ. Karl Weyrich.
Eschweiler, » Joh. Heinrich Bauer.
Feil, (unbesetzt.)
Finkenbach, » F. Arnold Streuber.
Obermoschel, » Fried. Zimmermann.
Hochstetten, (unbesetzt.)
Lautereken, » Wilhelm Vogel.
daselbst, (2ter) (unbesetzt.)
Münsterappel, » Jakob Nonweiler.
Niederhausen, » Karl Brachel.
Odernheim, » Joh. Phil. Knaupp.
}

4) Kreis Zweybrücken.

Konsistorium von Zweybrücken.

Präsident, Herr Joh. Dan. Kämpf, Pfarrer zu Zweybrücken.

Pfarrer zu {
Zweybrücken(2r) Hr. Christ. Kämpf, Sohn.
Neuhernbach, (unbesetzt.)
Hemburg, » Christian Aulenbach.
Battweiler, (unbesetzt.)
Grosbuntenbach, (unbesetzt.)
Herschberg, » Philipp Höpfner.
Wallhalben, » Fried. Christ. Kremer.
Mittelbern, » Friedrich Leonhardt.
Hermersberg, » Fried. August Höler.
Steinwenden, » H. Wilh. Leonhardt.
Reichenbach, » Jakob Gutheil.
}

Konsistorium von Pirmasens.

Präsident, Herr Georg Konrad Friedrich Harteneck, zu Pirmasens.

Pfarrer zu
{
Pirmasens (2ter) Herr Karl Kiefer.
Thaleschweiler, » Karl Greiner.
Burgalben, · (unbesetzt.)
Annweiler, (unbesetzt.)
Godramstein, » L. Bernh. Smiedt.
Vorderweidenthal, » G. Jak. Schweben-
häuser.
Albersweiler, » Christian Greiner.
}

5) Kreis Trier.

Konsistorium von Wirschweiler.

Präsident, Herr Friedrich Adolph Bartz, Pfarrer zu Welf.

Pfarrer zu
{
Veldenz, Herr Karl Theod. Werner.
Mühlheim, » W. Heinr. Ludovici.
Kleinich, » Tobias Schneegans.
Allenbach, » Friedr. Phil. Simon.
Hottenbach, » Joh. Marx Faust.
Sensweiler, » Alexander Blum.
Rhaunen, » Friedrich Peter Jungk.
Wirschweiler, » Tobias Schneegans.
Thalfang, (unbesetzt.)
}

(Die letzten sechs Gemeinden gehören zum Kreis Birkenfeld).

6) Kreis Birkenfeld.

Konsistorium von Cusel.

Präsident, Herr Ludwig Belzer, Pfarrer zu Cusel.

Pfarrer zu
{
Weyerbach, Herr Karl. Ludw. Schmitt.
Baumholder, (unbesetzt.)
Kirchenbollenbach, (unbesetzt.)
Reichenbach, » Karl L. Hildebrand.
Theisbergstegen, » Ludwig Pelzer.
St. Julian, » Simon.
}

Konsistorium von Birkenfeld.

Präsident, Herr Karl Leopold Gottlieb, Pfarrer zu Birkenfeld.

Pfarrer zu
- Niederbrombach, Herr Joh. Karl Arnoldy.
- Leisel, » F. W. L. Arnoldy.
- Nohen, (unbesetzt.)
- Nohfelden, » Karl Ludw. Metz.
- Soetern, » C. Wilh. Cullmann.
- Züsch, » (unbesetzt.)

Konsistorium von Meisenheim.

Präsident, Herr Joh. Georg Webner, Pfarrer zu Meisenheim.

Pfarrer zu
- Staudernheim, Herr Philipp Gerlach.
- Meddersheim, » Fried. Christ. Haak.
- Merxheim, » Frz. Karl Medicus.
- Meckenbach, » Ph. Daniel Simon.
- Hundsbach, » Philipp Rodrian.
- Cappeln, » G. Karl Hofmann.
- Grumbach, » Karl Heinrich Bartz.
- Sulzbach, » J. F. Wilh. Spener.
- Beerweiler, » Karl Ludw. Webner.
- Offenbach, » K. C. F. Volmar.
- Sien, (unbesetzt.)
- Abtweiler, (unbesetzt.)

Konsistorium von Idar.

Präsident, Herr Joh. Koch, Pfarrer zu Herrstein.

Pfarrer zu
- Oberstein, Herr J. Lichtenberger.
- Idar, » C. Friedr. Schmidt.
- Veitzrodt, » F. Wilh. Gottlieb.

131

Pfarrer zu	Niederwörresbach,	»	Karl Ph. Dan. Koch.
	Bergen,	»	C. Phil. Schneider.
	Wikenrodt,	»	F. Christian Schmitt.
	Weyerbach,	»	Peter Homburger.
	Niederhusenbach,	»	Just. Ludw. Lynker.

7) Kreis Ottweiler.

Konsistorium von Ottweiler.

Präsident, Herr Ludw. Heinr. Drach, Pfarrer zu Ottweiler.

Pfarrer zu	Niederlinxweiler,	Herr	Jak. Joh. Schmoll.
	Glanmünchweiler,	»	Georg Heinr. Vogt.
	Waldmohr,	»	K. F. Ruppenthal.
	Dörrenbach,	»	Joh. Jakob Engel.
	Wiebelskirchen,	»	Gottf. H. Neubert.
	Neunkirchen,	»	Joh. Karl Constant.
	Dirmingen,	»	Ph. Ch. Hermann.
	Heusweiler,	»	L. Heinr. Schneider.

8) Kreis Simmern.

Konsistorium von Trarbach.

Präsident, Herr Georg Andreas Reichard, Pfarrer zu Trarbach.

Pfarrer zu	Enkirch,	Herr	Lud. Burk. Pfender.
	Irmenach,		(unbesetzt.)
	Lötzbeuren,	»	Phil. Friedr. Franz.
	Raversbeuren,	»	Phil. Karl Jäger.
	Laufersweiler,	»	Joh. Köbig.
	Dill,	»	Karl Eberetsch.

Konsistorium von Kastellaun.

Präsident, Herr Franz Ruprecht Bartz, Pfarrer zu Kastellaun.

Pfarrer zu	Bell,	Herr Georg Ludw. Euler.
	Gödenroth,	» Georg Heinr. Storck.
	Alterkülh,	» J. Dan. Cullmann.
	St. Goar,	» Christian Otto.
	Biebernheim,	» Joh. Christian Otto.
	Pfalzfeld,	». Karl Storck.
	Werlau,	» Karl Wagner.

Konsistorium von Sobernheim.

Präsident, Herr Christian Franz Philipp Hermann, Pfarrer zu Sobernheim.

	Burgsponheim,	Herr F. Hildenbrand.
	Ekweiler,	» Phil. Jak. Bauer.
	Bebroth,	» Konrad Caspari.
	Hausen,	» F. C. Horschmann.
	Hennweiler,	» Phil. Gottl. Barh.
Pfarrer zu	Kirn,	» Karl Meh.
	Pferdsfeld,	» Arnold Mebus.
	Johannesberg,	» Karl Jul. Dietzsch.
	Weiler,	» Friedrich Wirth.
	Winterburg,	» Friedr. Ernest Meh.
	Simmern u. Dhaun	» Adolph Pfender.

Konsistorium von Kreuznach.

Präsident, Herr Wilhelm Schneegans, Pfarrer zu Kreuznach.

	Münster a. Stein,	Herr Alexander Blum.
	Hüffelsheim,	» Bernhard Wanzel.
Pfarrer zu	Mandel,	» Valentin Hessel.
	Bretzenheim,	(unbesetzt.)
	Winnesheim,	» Philipp Meh.

Pfarrer zu {
Waldlaubersheim, Herr Karl Hill.
Waldalgesheim, » Friedrich Volmar.
Seibersbach, » Joh. Preßber.
Bacharach, » Ludwig Streuber.

III. Reformirte Kirche.

Oberkonsistorium.

(Noch nicht gebildet.)

1) Kreis Alzey.

Konsistorium von Oberingelheim.

Präsident, Herr Wilhelm Kaibel, Pfarrer zu Oberingelheim.

Pfarrer zu {
Appenheim, Herr Karl Dupont.
Engelstadt, » Heinrich Frohn.
Stadecken, » Joh. Mathias Groß.
Essenheim, » Philipp Frohn.
Elsheim, » Philipp Brug.
Großwinternheim, » Steph. Mart. Brug.
Niederingelheim, » Leonhard Schmuck.

Konsistorium von Sprendlingen.

Präsident, Herr Reinh. Böhm, Pfarrer zu Siefferheim.

	Sprendlingen,	(unbesetzt.)
	Freilaubersheim,	Herr Karl Wundt.
	Armsheim,	(unbesetzt.)
	Wonsheim,	» Friedrich Wundt.
Pfarrer zu	Wöllstein,	» Heinrich Balbier.
	Bosenheim,	» Peter Schäfer.
	Horweiler,	» Ludwig Virmond.
	Zotzenheim,	» Friedrich Böckler.
	Gensingen,	(unbesetzt.)
	Wolfsheim,	(unbesetzt.)

Konsistorium von Alzey.

Präsident, Herr Ludwig Sinn, Pfarrer zu Kettenheim.

	Alzey,	Herr Konrad Schiede.
	daselbst, (2ter)	» Berg.
	Ensheim,	» Karl Winkelblech.
	Albig,	» Ludw. Ch. Kayser.
Pfarrer zu	Offenheim,	» Joh. Welker.
	Kriegsfeld,	» Dan. Wilh. Rettig.
	Kirchheimboland,	» Hepp.
	Einselthum,	» Weber.
	Mauchenheim,	» Jak. Reichard Lang.

Konsistorium von Oppenheim.

Präsident, Herr Franz Braun, Pfarrer zu Oppenheim.

	Oppenheim (2ter)	Herr Kasimir Conradi.
Pfarrer zu	Gimbsheim,	» Georg Phil. Ritter.
	Eich,	» Otto König.
	Dorndürkheim,	» Peter Becker.

Pfarrer zu { Selzen,   Herr Wilhelm Dilg.
Derheim,   (unbesetzt.)
Nierstein,   » Wallot.

Konsistorium von Osthofen.

Präsident, Herr Gerhard Pauli, Pfarrer zu Osthofen.

Pfarrer zu {
Osthofen, (2ter) Herr Karl Phil. Kaibel.
Westhofen,   » Friedrich Dupont.
Eppelsheim,   » Joh. Heinr. Pauli.
Flomborn,   » Anton Fuchs.
Hangenweisheim, » Anton Heddeus.
Blödesheim,   » Joh. Phil. Pauli.
Obernheim,   » Heinrich Buhl.
Dittelsheim,   » Peter Stöß.
Biebelnheim,   » Eberh. Heddeus.

2) Kreis Speyer.

Konsistorium von Heppenheim.

Präsident, Herr Paul Heddeus, Pfarrer zu Heppenheim.

Pfarrer zu {
Dahlsheim,   Herr Jakob Becker.
Hochheim,   (unbesetzt.)
Worms,   » Bernh. Rödiger.
Laumersheim,   » Friedrich Dupré.
Großkarlenbach,   » Friedrich Plesch.
Großbokenheim,   » Daniel Geul.
Mölsheim,   » Joh. Fried. Klink.
Kriegsheim,   » Lorenz Schmitt.
Niederflörsheim,   » C. Fried. Schloer.
Pfeddersheim,   » Jakob Orth.
Pfiffligheim,   » Lebachelle.

Konsistorium von Freinsheim.

Präsident, Herr Dan. Lebachelle, Pfarrer zu Freinsheim.

Pfarrer zu
- Erpolsheim, Herr F. Wilh. Reichold.
- Grünstadt, » Wilh. Augustin.
- Derckheim, » Friedr. Lehmann.
- Mekenheim, » Philipp Stepp.
- Gönheim, » Ludw. Schneider.
- Wachenheim, » Heinrich Bohner.
- Weissenheim, » Joh. Giesen.

Konsistorium von Edenkoben.

Präsident, Herr Konrad Treviran, Pfarrer zu Lachen.

Pfarrer zu
- Edenkoben, Herr Jakob Brückner.
- daselbst, (2ter) » Georg Bicker.
- Walsheim, » Burkard Fickeisen.
- Offenbach, » (unbesetzt.)
- Frankweiler, » Christian Petri.
- Böbingen, » T. Brünings (Sohn).
- Altdorf, » Karl Theodor Geul.
- Niederhochstadt, » Jakob Wagner.

Konsistorium von Frankenthal.

Präsident, Herr Jakob Mayer, Pfarrer zu Frankenthal.

Pfarrer zu
- Frankenthal, (ar) Herr Friedrich Wenz.
- daselbst, (3r) » Joh. Wilh. Schmitt.
- Heßheim, » Phil. Elias Oeste.
- Lambsheim, » Winkelblech.
- Oppau, » Andreas Ullmann.
- Haßlach, » Simon.

8

Pfarrer zu { Boehl,   Herr Moré (Sohn).
            Rugheim,   » Ludw. Moscherosch.
            Oggersheim,   » Jakob Serini.

Konsistorium von Speyer.

Präsident, Herr Hütwohl, Pfarrer zu Altripp.

Pfarrer zu { Speyer,   (unbesetzt.)
            Germersheim, Herr Ludwig Born.
            Iggelheim,   » Wilhelm Bechtold.
            Oberlustadt,   » Wilhelm Wazeborn.
            Westheim,   » August Bopp.
            Mutterstadt,   » Moré.
            Schwegenheim, » Gottf. Wazeborn.
            Zeiskam,   » Wilhelm Zinn.

Konsistorium von Neustadt.

Präsident, Herr Ullmann, Pfarrer zu Neustadt.

Pfarrer zu { Neustadt, (2r) Herr Kilian.
            Mußbach,   » Jakob Faber.
            Gimmeldingen, » Wolff.
            Haardt,   » Brenschel.
            Lambrecht,   » W. Brünings (Sohn).
            Elmstein,   (unbesetzt.)
            Weidenthal,   » Brunings.

3) Kreis Kaiserslautern.

Konsistorium von Kaiserslautern.

Präsident, Herr Ludw. Hepp, Pfarrer zu Kaiserslautern.

Pfarrer zu { Alsenborn,   Herr Joh. Ludw. Kraft.
            Erfenbach,   (unbesetzt.)
            Weilerbach,   » Heinrich Dörrzapf.

Pfarrer zu
- Neunkirchen, Herr Christian Kalbfuß.
- Rosenbach, » Friedrich Pixis.
- Rothselberg, (unbesetzt.)
- Otterberg, » Karl Dörr.
- daselbst, (2ter) (unbesetzt.)
- Hochspeyer, » Friedrich Hepp.

Konsistorium von Rockenhausen.

Präsident, Herr Fried. Ludw. Pixis, Pfarrer zu Marnheim.

Pfarrer zu
- Zell, Herr Christian Golfen.
- Alsenbrück, » C. H. W. Schaffner.
- Heiligenmoschel, » K. Treviran (Sohn).
- Katzweiler, » J. Cl. G. Pfarrius.
- Dörrmoschel, » Joh. Wagner.
- Ransweiler, » Fried. Karl Keßler.
- Oberndorf, » Joh. Jak. Reichard.
- Rockenhausen, » Joh. Christian Zinn.

Konsistorium von Obermoschel.

Präsident, Herr Jak. Welsch, Pfarrer zu Obernheim.

Pfarrer zu
- Obermoschel, Herr Jakob Schmitt.
- Hinzweiler, » Joh. Daniel Wenz.
- Wolfstein, » Servatius Zils.
- Einöllen, » F. K. Jul. Baumann.
- Gangloff, » Dörrzapf.
- Odenbach, » Ph. W. Jos. Müller.
- Rehborn, » Ludwig Cullmann.
- Duchroth, (unbesetzt.)
- Lettweiler, » Ludwig Pfarrius.
- Alsenz, » Karl Welsch.

4) Kreiß Zweybrücken.

Konsistorium von Homburg.

Präsident, Herr Karl Weber, Pfarrer zu Homburg.

Pfarrer zu
- Steinwenden, Herr Karl Engelmann.
- Waldfischbach, » Reinh. Wernigk.
- Lambsborn, » Joh. Müller.
- Wahlalben, » Daniel Isemann.
- Winterbach, » Jakob Müller.

Konsistorium von Mimbach.

Präsident, Herr Joh. Abraham Müller, Pfarrer in Mimbach.

Pfarrer zu
- Mimbach, (2r) Herr Ph. David Müller.
- Contwig, » Daniel Theisohn.
- Walsheim, » Georg Christ. Schöhler.
- Neuhornbach, » Daniel Erb.
- daselbst, (2ter) » Friedrich Müller.
- daselbst, (3ter) » Ferdinand Mathias.
- Rieschweiler, » Christian Isemann.

Konsistorium von Zweybrücken.

Präsident, Herr Heinr. Klöckner, Pfarrer zu Zweybrücken.

Pfarrer zu
- Zweybrücken, (2r) Herr Phil. Heintz.
- Münschweiler, » Ludwig Ginck.
- Pirmasens, » K. Phil. Abr. Weber.
- Ernstweiler, » Selinger.
- Mittelbach, » Peter Tachard.

Konsistorium von Annweiler.

Präsident, Herr Moscherosch, Pfarrer zu Annweiler.

Pfarrer zu

- Annweiler, (2r) Herr Balthasar Hänchen.
- Albersweiler, » Karl Kalbfuß.
- Wilgartswiesen, » Heinrich Guth.
- Rumbach, » Ph. Abr. Wilh. Müller.
- Leinsweiler, » Joh. Ad. Mayer.
- Siebeldingen, (unbesetzt).
- Godramstein, » Konrad Brecht.
- Göcklingen, (unbesetzt).
- Hinterweydenthal J. Ph. Zimmermann.

5) Kreis Birkenfeld.

Konsistorium von Cusel.

Präsident, Herr Joh. Ad. Weber, Pfarrer zu Wolfersweiler.

Pfarrer zu

- Achtelsbach, Herr Karl Bonnet.
- Altenglan, » Phil. Friedr. Müller.
- Baumholder, » Georg Philipp Hepp.
- Berschweiler, » Karl Christian Euler.
- Konken, » Joh. Fr. Limberger.
- Cusel, » Fr. Ad. Zöllner.
- Daselbst, (2ter) » Jakob Hepp.
- Pfeffelbach, » Joh. Heinr. Keller.
- Ulmeth, » Phil. Ludwig Kollin.

Konsistorium von Meisenheim.

Präsident, Herr Wilh. Neusel, Pfarrer zu Meisenheim.

Pfarrer zu

- Hundsbach, Herr Johann Dröscher.
- Becherbach, » Fried. Sauerbronn.

6) Kreis Ottweiler.

Konsistorium von Limbach.

Präsident, Herr Friedr. Jak. Heinz, Pfarrer zu Limbach.

Pfarrer zu {
Waldmohr, Herr Michel Kalbfuß.
Breitenbach, » Ph. Ludw. Wernher.
Obermisau, » Chr. Fr. Ludw. Weber.
Niederkirchen » Fried. Jak. Cullmann.
}

7) Kreis Simmern.

Konsistorium von Simmern.

Präsident, Herr Peter Illges, Pfarrer zu Neuerkirch.

Pfarrer zu {
Simmern, Herr Franz Karl Back.
Argenthal, (unbesetzt).
Holzbach, » Ferdinand Schneider.
Pleitzenhausen, » Karl Bast.
Sargenroth, » Peter Feld.
Hern, » Karl Mathias.
}

Konsistorium von Sobernheim.

Präsident, Herr Christian Friedrich Weber, Pfarrer zu Niederhausen.

Pfarrer zu {
Sobernheim, Herr Jakob Lang.
Monzingen, » Wilhelm Womrath.
Waldböckelheim, » Friedr. Karl Virmond.
Weinsheim, » David Eglinger.
Bockenau, » Fried. Julius Fuchs.
Kellenbach, » Peter Feld.
}

Konsistorium von Stromberg.

Präsident, Herr Pet. Paul Oertel, Pfarrer zu Mannebach.

Pfarrer zu {
Steeg, Herr Phil. Karl Daniel.
Ellern, » Joh. Jak. Böhler.
}

Pfarrer zu {
St. Goar, Herr Friedr. Karl Bonnet.
Oberdiebach', » Fried. Jakob Oertel.
Bacharach, » Joh. Spieker.
Stromberg, » Fried. Ludw. Pollisch.
Rheinböllen, » K. Ph. Paniel (Sohn).

Konsistorium von Kirchberg.

Präsident, Herr Karl Ludwig Schneider, Pfarrer zu Kirchberg.

Pfarrer zu {
Gemünden, Herr J. Simons.
Dickenschied, » Wilhelm Baßmann.
Buchenbeuren, » Joh. Ludwig Braun.
Oberkostenz, » J. W. G. Vielhauer.
Würrich, » K. Ldw. Theod. Wund.

Konsistorium von Kreuznach.

Präsident, Herr Karl Eberts, Pfarrer zu Kreuznach.

Pfarrer zu {
Kreuznach, (2r) Herr Jakob Lukas Weyer.
Roxheim, » Georg Ant. Gyßling.
Heddesheim, » Wilh. Weinmann.
Langenlonsheim, » Franz Daniel Plersch.
Läubenheim, » Philipp Jakob Feld.

D) In Hinsicht der bewaffneten Macht.

I. Landes-Gendarmerie.

Kommandant, Herr Major Bank, zu Kreuznach.
Auditer, » Mohr, daselbst.
Quartiermeister, » Becker, daselbst.

Erste Kompagnie.

Hauptmann, Herr Geither, zu Zweybrücken.
Lieutenant, » von Schlemmer, zu Speyer.
» » Fogt, zu Ottweiler.
» » Freyß, zu Trier.

Zweite Kompagnie.

Hauptmann, Herr Folbohn, zu Simmern.
Lieutenant, » Rosenbacher, zu Birkenfeld.
» » Kreuzer, zu Kaiserslautern.

Brigaden der ersten Kompagnie.

Zweybrücken, Pirmasenz, Dahn, Speyer, Worms,
Dürkheim, Germersheim, Annweiler, Ottweiler, Tholey,

St. Wendel, St. Ingbert, Trier, Saarburg, Merzig, Mühlheim.

Brigaden der zweiten Kompagnie.

Simmern, Kreuznach, Bacharach, Kirchberg, Kirn, Zell, Beppard, Birkenfeld, Meisenheim, Cusel, Hermeskeil, Kaiserslautern, Winnweiler, Wöllstein, Alzey, Kirchheim, Oppenheim, Landstuhl, Bingen und Niederingelheim.

II. Landwehr.

Central-Ausschuß.

(Sitz auf der Saline Theodorshalle bei Kreuznach).

Präsident,   Herr Obrist von Joffa.
Mitglied,   » Obristlieutenant von Avemann.
»   » Lieutenant Westerhof.
Rechnungsführer » Lieutenant Wrede.

Chefs der sieben Bataillone der Landwehr im Administrations Bezirk.

Herr Obrist von Joffa, (siehe den Central-Ausschuß; der Stamm von seinem Bataillon hat seine Station zu Haßloch, Kreis Speyer).

Herr Obrist von Reder, zu Westhofen, (Kreis Alzey).

» Obristlieutenant von Avemann, (siehe den Central-Ausschuß; der Stamm von seinem Bataillon hat seine Station zu Haßloch, Kreis Speyer).

» Major Damert, zu St. Goar, (Kreis Simmern).

» Major von Joffa, zu Oppenheim, (Kreis Alzey).

» Major von Esebeck, zu Stromberg, (Kreis Simmern).

» Major von Bolte, zu Haßloch, (Kreis Speyer).

Territorial=Eintheilung
des
Landes = Bezirks.

Verzeichniß der Gemeinden,
nach Kreisen, Kantonen und Bürgermeistereien.

I. Kreis Alzey.

1) Kanton Alzey.

Nummer.	Bürger=meistereien.	Gemeinden.	Seelen=Zahl.	Namen der Bürgermeister. H. H.
1	Albig . . .	Albig Bermersheim	722 276	Fritz
2	Alzey . . .	Alzey	3193	Moll
3	Bornheim . .	Bornheim Lonsheim	289 306	Köhler
4	Erbesbüdesheim	Erbesbüdesheim	672	Kronenberger
5	Flomborn . .	Dintesheim Flomborn	127 411	Nees

147

Nummer.	Bürger-meistereien.	Gemeinden.	Seelen-zahl.	Namen der Bürgermeister.
				H. H.
6	Framersheim .	Dautenheim Framersheim	245 938	Stellwagen
7	Flonheim . .	Flonheim Uffhofen	1242 342	Stofft
8	Freimersheim .	Freimersheim Wahlheim	460 276	Reiß
9	Heimersheim .	Heimersheim	569	Leiß
10	Kettenheim . .	Esselborn Kettenheim	255 308	Sinn
11	Niederwiesen .	Bechenheim Niederwiesen	311 467	Steuerwald
12	Odernheim . .	Köngernheim Odernheim	180 1278	Keller
13	Offenheim . .	Offenheim	489	Braun
14	Weinheim . .	Weinheim	709	Regner
15	Wendelsheim .	Nack Wendelsheim	341 661	Vogt

Im Kanton 15067.

Steuereinnehmer für die Bürgermeistereien 1 und 2 Herr Falkenstein, für 3 und 9 Hr. Wilk, für 4 und 15 Hr. Eifinger, für 5, 8 und 10 Hr. Lankhardt, für 6 Hr. Klenk, für 7 Hr. Schneider, für 11, 13 und 14 Hr. Schäfer.

2) Kanton Bechtheim.

1	Abenheim . .	Abenheim	941	Borheimer
2	Alsheim . . .	Alsheim Hangenwahlheim	1117 131	Hirsch
3	Bechtheim . .	Bechtheim Mettenheim	1187 596	Reichert

Nummer.	Bürgermeistereien.	Gemeinden.	Seelen- zahl.	Namen der Bürgermeister.
				H. H.
4	Dittelsheim . .	Dittelsheim	519	Winter
5	Dorndürkheim .	Dorndürkheim	459	Egelhof
6	Eich	Eich	1095	Mayer
7	Eppelsheim . .	Eppelsheim Hangenweisheim	534 336	Grün
8	Gimbsheim . .	Gimbsheim	1176	Mahlerwein
9	Hamm . . .	Hamm Ibersheim	799 328	Frey
10	Heßloch . . .	Frettenheim Heßloch	140 605	Stephan
11	Heppenheim . .	Heppenheim	501	Krämer
12	Monzernheim .	Blödesheim Monzernheim	336 331	Giloth
13	Osthofen . . .	Osthofen	1240	Buetti
14	Rheindürkheim .	Rheindürkheim	621	Leonhardi
15	Westhofen . .	Westhofen	1468	Sponnagel

Im Kanton 14424

Steuereinnehmer für die Bürgermeisterei 1 Herr Kron, für 2 und 5 Hr. Reichenbach, für 3 Hr. Schwerde, für 4 und 10 Hr. Debel, für 6 Hr. Schilling, für 7 und 12 Hr. Wetz, für 8 Hr. Walter, für 9 und 14 Hr. Staufer, für 11 Hr. Schäfer, für 13 Hr. Klauder, für 15 Hr. Kleinmann.

3) Kanton Bingen.

Nummer.	Bürgermeistereien.	Gemeinden.	Seelen- zahl.	Namen der Bürgermeister.
1	Bingen . . .	Bingen	3223	Geromont
2	Büdesheim . .	Büdesheim Diedersheim	1028 228	Braden (provisorisch)

Nummer.	Bürger-meistereien.	Gemeinden.	Seelen-Zahl.	Namen der Bürgermeister.
				H. H.
3	Gensingen · ·	Gensingen	693	Lerey · ·
4	Grolsheim · ·	Grolsheim	195	Leonhard
		Sponsheim	174	
5	Kempten · ·	Gaulsheim	491	Harth
		Kempten	332	
6	Ockenheim · ·	Dromersheim	616	Schmitt
		Ockenheim	549	(provisorisch)

Im Kanton 7439

Steuereinnehmer für die Bürgermeisterei 1 Herr Bertzeat, für 2 und 5 Hr. George, für 3, 4 und 6 Hr. Kröll.

4) Kanton Kirchheimboland.

Nummer.	Bürger-meistereien.	Gemeinden.	Seelen-Zahl.	Namen der Bürgermeister.
1	Albisheim · · ·	Albisheim	685	Pabst
		Einselthum	418	
2	Bolanden · ·	Bolanden	533	Becker
3	Dannenfels · ·	Bennhausen	102	Mertz
		Dannenfels	114	
		Jakobsweiler	213	
4	Gauersheim ·	Gauersheim	488	Breyer
		Rittersheim	158	
		Stätten	419	
5	Gerbach · · ·	Gerbach	388	Starck
		Ruppertsecken	310	
		St. Alban	305	
6	Ilbesheim · ·	Ilbesheim	470	Chelius
7	Kirchheimboland	Bischheim	406	Heydeloff
		Kirchheimboland	2145	
8	Kriegsfeld · ·	Kriegsfeld	826	Kuntz

Nummer.	Bürger- meistereien.	Gemeinden.	Seelen- Zahl.	Namen der Bürgermeister.
				H. H.
9	Marnheim . .	Marnheim	785	Gassenberger
10	Mauchenheim .	Mauchenheim	562	Knopf
11	Mörsfeld . .	Mörsfeld	349	Liedt
12	Morschheim . .	Morschheim	480	Klingschmitt
13	Orbis . . .	Oberwiesen Orbis	338 369	Eitelmann
		Im Kanton	10863	

Steuereinnehmer für die Bürgermeistereien 1 und 9 Herr Creve, für 2 und 7 Hr. Weyland, für 3 Hr. Gümbel, für 4 und 6 Hr. Hartmann, für 5, 8 und 11 Hr. Wagner, für 10, 12 und 13 Hr. Rauch.

5) Kanton Niederolm.

Nummer.	Bürger- meistereien.	Gemeinden.	Seelen- Zahl.	Namen der Bürgermeister.
1	Ebersheim . .	Ebersheim	615	Schäfer
2	Essenheim . .	Essenheim	729	Schott
3	Finthen . . .	Drais Finthen	177 941	Schmitt
4	Gonsenheim .	Gonsenheim	1203	Becker
5	Harxheim . .	Gaubischofsheim Harxheim	276 382	Hechtelberger
6	Hechtsheim . .	Hechtsheim	980	Klein
7	Laubenheim . .	Laubenheim Weissenau	510 914	Mileck
8	Marienborn . .	Bretzenheim Marienborn	854 311	Schrohe
9	Niederolm . .	Niederolm	708	Müller

Nummer.	Bürger-meiſtereien.	Gemeinden	Seelen-Zahl.	Namen der Burgermeiſter.
				H. H.
10	Oberolm · ·	Kleinwinterheim Oberolm	382 892	Darmſtadt
11	Stadecken · ·	Stadecken	603	Sala
12	Zernheim · ·	Sörgenloch Zernheim	359 484	Gläſer
		Im Kanton	11320	

Steuereinnehmer für die Bürgermeiſtereien 1, 5, 9 und 12 Herr Ebinger, für 2 und 11 Hr. Wolf, für 3 und 4 Hr. Appel, für 6 und 7 Hr. Michell, für 8 Hr. Nannheim, für 10 Hr. Neeb.

6) Kanton Oberingelheim.

Nummer.	Bürger-meiſtereien.	Gemeinden	Seelen-Zahl.	Namen der Burgermeiſter.
1	Algesheim · ·	Algesheim	1400	Eickemeyer
2	Appenheim · ·	Appenheim Niederhibersheim	679 351	Schmuck
3	Aspisheim · ·	Aspisheim Horweiler	492 513	König
4	Budenheim · ·	Budenheim Membach	346 630	Schöll
5	Freiweinheim ·	Freiweinheim	193	Schauer
6	Groswinternheim	Budenheim Groswinternheim	491 677	Gemünden
7	Heidesheim · ·	Heidesheim Wackernheim	842 425	Bohland
8	Jugenheim · ·	Engelſtadt Jugenheim	464 717	Vogt
9	Niederingelheim	Niederingelheim	1360	Weißel

Nummer.	Bürger-meistereien.	Gemeinden.	Seelen-Zahl.	Namen der Bürgermeister.
				H. H.
10	Oberingelheim .	Oberingelheim	1738	Werner
11	Sauerschwaben-heim .	Elsheim Sauerschwaben-heim	430 760	Tourelle
		Im Kanton	12507	

Steuereinnehmer für die Bürgermeisterei 1 Herr Stauden-heimer, für 2 und 3 Hr. Gebhard, für 4 und 7 Hr. Ahl, für 5 und 9 Hr. Werner, für 6 und 11 Hr. Singer, für 8 Hr. Kapeller, für 10 Hr. Rupperter.

7) Kanton Oppenheim.

1	Bodenheim . .	Bodenheim Nackenheim	1225 826	Großmann
2	Dahlheim . .	Dahlheim Köngernheim	527 353	Beutel
3	Dolgesheim . .	Dolgesheim Eimsheim Wintersheim	417 305 225	Lösch
4	Guntersblum .	Guntersblum	1539	Küstner
5	Mommernheim .	Lörzweiler Mommernheim	426 694	Wolff
6	Nierstein . . .	Nierstein	1506	Gessert
7	Oppenheim . .	Dienheim Oppenheim Rudelsheim	662 2098 319	Egly
8	Schwabsburg .	Dexheim Schwabsburg	473 525	Immel

9

Nummer.	Bürger=meistereien.	Gemeinden.	Seelen= Zahl.	Namen der Bürgermeister
				H. H.
9	Selzen . . .	Hahnheim	363	Kissinger
		Selzen	523	
10	Weinolsheim .	Waldhilbersheim	461	Stark
		Weinolsheim	452	

Im Kanton 13829

Steuereinnehmer für die Bürgermeisterei 1 Herr Querdan, für 2 und 9 Hr. Kraft, für 3 und 10 Hr. Martin, für 4 Hr. Büchel, für 5 Hr. Wolf, für 6 Hr. Richard, für 7 und 8 Hr. Raquet.

8) Kanton Wöllstein.

Nummer.	Bürger=meistereien.	Gemeinden.	Seelen= Zahl.	Namen der Bürgermeister
1	Badenheim . .	Badenheim	345	Mauß
		Pfaffenschwaben=heim	404	
		Pleitersheim	213	
2	Biebelsheim . .	Biebelsheim	317	Fischborn
		Ippesheim	90	
3	Bosenheim . .	Bosenheim	454	Wachemer
		Hackenheim	253	
4	Freilaubersheim.	Freilaubersheim	590	Mathes
		Volrheim	408	
5	Fürfeld . . .	Fürfeld	875	Brunk
		Neubamberg	478	
		Tiefenthal	168	
6	Planig . . .	Planig	658	Schäfer
7	Siefersheim .	Eckelsheim	383	Möbus
		Siefersheim	447	
8	Sprendlingen und St. Johann	Sprendlingen und St. Johann	1533	Reuther

Nummer.	Bürgermeistereien.	Gemeinden.	Seelen-Zahl.	Namen der Bürgermeister.
				H. H.
9	Wöllstein . .	Gumbsheim	216	
		Wöllstein	1175	Jungk
10	Wonsheim . .	Steinbockenheim	395	
		Wonsheim	452	Eller
11	Zotzenheim . .	Wölgesheim	224	
		Zotzenheim	296	Marsilius

Im Kanton 10374

Steuereinnehmer für die Bürgermeisterei 1 Herr Maurer, für 2 und 11 Hr. Schneider, für 3 und 6 Hr. Anbel, für 4 Hr. Partenheimer, für 5 Hr. Wild, für 7 und 10 Hr. Benighof, für 8 Hr. Schnell, für 9 Hr. Feyen.

9) Kanton Wörrstadt.

Nummer.	Bürgermeistereien.	Gemeinden.	Seelen-Zahl.	Namen der Bürgermeister.
1	Armsheim . .	Armsheim	675	
		Eichloch	372	Hausmann
		Schimsheim	163	
2	Bechtolsheim .	Bechtolsheim	879	
		Biebelnheim	494	Baum
3	Gabsheim . .	Friesenheim	269	
		Gabsheim	591	Grode
4	Gauböckelheim .	Gauböckelheim	1002	Engel
5	Hillesheim . .	Hillesheim	409	Darmstätter
6	Niedersaulheim .	Niedersaulheim	1234	
		Obersaulheim	454	Neeb
7	Oberhilbersheim.	Oberhilbersheim	624	Zilles
8	Partenheim . .	Partenheim	981	Schmahl
9	Schornsheim .	Schornsheim	725	
		Udenheim	522	Brand

Nummer.	Bürgermeistereien.	Gemeinden.	Seelen-Zahl.	Namen der Bürgermeister.
				H. H.
10	Spiesheim . .	Enzheim Spiesheim	317 614	Trapp
11	Undenheim . .	Undenheim	838	Schilling
12	Vendersheim .	Sulzheim Vendersheim	491 414	Hackemer
13	Wallertheim . .	Niederweinheim Wallertheim	406 776	Schneider
14	Wörrstadt . .	Wörrstadt	1199	Art
15	Wolfsheim . .	Wolfsheim	511	Hottum
		Im Kanten	14933	

Steuereinehmer für die Bürgermeistereien 1, 4 und 13 Herr Heck, für 2 und 5 Hr. Brand, für 3 und 11 Hr. Bernhard, für 6 Hr. Dechent, für 7, 8 und 15 Hr. Aull, für 9 Hr. Heck, für 10 Hr. Janson, für 12 und 14 Hr. Christ.

Uebersicht des Kreises Alzey.

Kantone.	Anzahl der Bürgermeistereien.	Anzahl der Gemeinden.	Seelen-Zahl.
Alzey	15.	25.	15067
Bechtheim . .	15.	21	14424
Bingen . . .	6.	10.	7439
Kirchheim . .	13.	22	10863
Niederelm . .	12	18	11320
Oberingelheim .	11	18.	12507
Oppenheim . .	10.	20	13829
Wöllstein . .	11	23	10374
Wörrstadt . .	15	24.	14960
Hauptsummen .	108.	181	110,783

II. Kreis Speyer.

1) Kanton Dürkheim.

Nummer.	Bürgermeistereien.	Gemeinden.	Seelenzahl.	Namen der Bürgermeister.
				H. H.
1	Dackenheim	Dackenheim	376	Engel
2	Deidesheim	Deidesheim Niederkirchen	1760 850	Schmitt
3	Dürkheim	Dürkheim Hartenburg Grethen, Hausen, Röhrig u. Seebach	4920	Koch
4	Ellerstadt	Ellerstadt	640	Ellenberger
5	Erpolsheim	Erpolsheim	394	Hubach
6	Freinsheim	Freinsheim	1568	Tillmann
7	Friedelsheim	Friedelsheim	580	Mayer
8	Forst	Forst	695	Braun
9	Gönheim	Gönheim	480	Blaul
10	Kallstadt	Kallstadt Leystadt	680 702	Schuster
11	Rödersheim	Rödersheim	646	Hetterich

Nummer.	Bürgermeistereien.	Gemeinden.	Seelenzahl.	Namen der Bürgermeister.
				H. H.
12	Ungstein . . .	Ungstein Pfeffingen	860	Kraus
13	Wachenheim an der Haardt	Wachenheim an der Haardt	2200	Freschauer
14	Weissenheim am Berg	Herxheim Weissenheim am Berg	499 650	Gunzert

Im Kanton 18500

Steuereinnehmer für die Bürgermeistereien 1 und 6 Hr. Walz, für 2 und 8 Hr. Lacombe, für 3, 5 und 12 Hr. Hecht, für 4, 7, 9 und 11 Hr. Crolly, für 10 und 14 Hr. Blaufuß, für 13 Hr. Heidschuh.

2) Kanton Edenkoben.

Nummer.	Bürgermeistereien.	Gemeinden.	Seelenzahl.	Namen der Bürgermeister.
1	Altdorf . . .	Altdorf	640	Ladenberger
2	Böchingen . .	Böchingen Knöringen Walsheim	670 377 508	Becker
3	Bornheim . .	Bornheim	460	Gensheimer
4	Edenkoben .	Edenkoben	3500	Arnold
5	Edesheim . .	Edesheim	1750	Erbenspiel
6	Essingen . . .	Essingen	1100	Meunier
7	Burrweiler . .	Burrweiler Flemlingen Rosbach	880 362 420	Claus
8	Freimersheim .	Böbingen Fr. mersheim	455 505	Salm
9	Gleisweiler . .	Frankweiler Gleisweiler	743 613	Dörr

Nummer.	Bürger-meistereien.	Gemeinden.	Seelen-Zahl.	Namen der Bürgermeister
				H. H.
10	Großfischlingen ·	Großfischlingen Kleinfischlingen	386 314	Hellried
11	Kirrweiler · ·	Kirrweiler	1310	Deffenbach
12	Maykammer ·	Alsterweiler Maykammer	1780	Reinig
13	Offenbach · ·	Offenbach	1394	Brucker
14	Rhodt · · ·	Rhodt	1398	(unbesetzt)
15	St. Martin ·	St. Martin	1400	Seeber
16	Venningen · ·	Venningen	980	Krauß
17	Weyer · · ·	Hainfeld Weyer	690 630	Seer

Im Kanton 23324

Steuereinnehmer für die Bürgermeisterei 1 Hr. Heffert, für 2 und 3 Hr. Stempel, für 4, 12 und 15 Hr. Molliere, für 5, 14 und 17 Hr. Schoppmann, für 6 Hr. Breitling (provif.), für 7 u. 9 Hr. Georg, für 8 und 10 Hr. Breitling, für 11 und 16 Hr. Junker, für 13 Hr. Stempel (provif.)

3) Kanton Frankenthal.

Nummer.	Bürger-meistereien.	Gemeinden.	Seelen-Zahl.	Namen der Bürgermeister
1	Bobenheim am Rhein	Bobenheim am Rhein Rorheim	786 410	Weißkirch
2	Edigheim · ·	Edigheim Mörsch	997	Ballinger
3	Eppstein · · ·	Eppstein	580	Weyher
4	Frankenthal · ·	Frankenthal	3700	Forthuber

Nummer.	Bürgermeistereien.	Gemeinden.	Seelen- zahl.	Namen der Bürgermeister,
				H. H.
5	Flomersheim	Flomersheim	420	Mack
6	Gerolsheim . .	Gerolsheim	640	Weitzel
7	Grosniedesheim	Grosniedesheim Kleinniedesheim	310 114	Dackermann
8	Heßheim. . .	Heßheim	480	Mäuerer
9	Heuchelheim . .	Beindersheim Heuchelheim	450 500	Schreiber
10	Lambsheim . .	Lambsheim	1681	Geib
11	Oppau . . .	Oppau Studernheim	1275 237	Schmitt
12	Weisenheim am Sand.	Weisenheim am Sand	1250	Stempel

Im Kanton 14120

Steuereinnehmer für die Bürgermeistereien 1, 4 und 5 Herr Adalan, für 2, 3 und 11 Hr. Debest, für 6, 8, 9, 10 und 12 Hr. Tenner, für 7 Hr. Ott.

4) Kanton Germersheim.

1	Freischbach . .	Freischbach	430	Damian
2	Germersheim .	Germersheim	1650	Vollmer
3	Gommersheim .	Gommersheim	723	Wentzel
4	Lingenfeld . .	Lingenfeld Westheim	923 513	Schlick
5	Niederhochstadt .	Niederhochstadt	840	Becker
6	Oberhochstadt .	Oberhochstadt	420	Kuntz

Nummer.	Bürger-meistereien.	Gemeinden.	Seelen-Zahl.	Namen der Bürgermeister.
				H. H.
7	Oberlustadt . .	Niederlustadt Oberlustadt	731 1147	Theis
8	Ottersheim . .	Ottersheim	813	Kopf
9	Schwegenheim .	Schwegenheim	1039	Horix
10	Sondernheim .	Sondernheim	313	Stubenrauch
11	Weingarten . .	Weingarten	935	H. Hellmann (provisorisch)
12	Zeiskam . . .	Zeiskam	1450	Guth

Im Kanton 11936

Steuereinnehmer für die Bürgermeisterei 1 Herr Heffert, für 2, 3, 4 und 10 Hr. Braun, für 5 Hr. Schifferdecker, für 6 Hr. Breitling (provisorisch), für 7 und 12 Hr. Hofmann, für 8 und 11 Hr. Stempel (provisorisch), für 9 Hr. Reichert.

5) Kanton Grünstadt.

Nummer.	Bürger-meistereien.	Gemeinden.	Seelen-Zahl.	Namen der Bürgermeister.
1	Albsheim . .	Albsheim Mühlheim	332 300	Hartenbach
2	Altleiningen . .	Altleiningen	560	Zimmermann
3	Asselheim . .	Asselheim Mertesheim	779 331	Mühlmichel
4	Bobenheim a. Berg	Battenberg Bobenheim a. Berg	310 440	Jochem
5	Carlsberg . .	Carlsberg Hertlingshausen	2100	Müller
6	Colgenstein . .	Colgenstein Heidesheim	310	Muth
7	Dirmstein . .	Dirmstein	1500	Camuzi

Nummer.	Bürger-meistereien.	Gemeinden.	Seelen-Zahl.	Namen der Bürgermeister
				H. H.
8	Ebertsheim . .	Ebertsheim	420	Schäfer
9	Grosbockenheim .	Grosbockenheim	600	Klingel
10	Breskarlenbach .	Bissersheim	352	Webel
		Greskarlenbach	998	
11	Grünstadt . .	Grünstadt	3150	Berdello
12	Hetten-Leidelheim	Hetten-Leidelheim	560	Schmidt
13	Kindernheim . .	Kindernheim	700	Dettweiler
14	Kirchheim a. d. Eck	Kirchheim a. d. Eck	924	Koch
15	Kleinbockenheim .	Kleinbockenheim	546	Weiß
16	Kleinkarlenbach .	Kleinkarlenbach	450	Lang
17	Laumersheim .	Laumersheim	900	Kehr
		Obersülzen	500	
18	Neuleiningen	Neuleiningen	600	Nippchen
19	Obrigheim . . .	Obrigheim	530	Schiffer
20	Quirnheim . . .	Quirnheim	430	Engelmann
21	Saussenheim	Saussenheim	500	Hammer
22	Tiefenthal . .	Tiefenthal	380	Schönberger
23	Wattenheim . .	Wattenheim	770	Corzilius

Im Kanten 20272

Steuereinnehmer für die Bürgermeistereien 1, 3, 8 und 11 Herr Ilgen, für 2, 5, 12, 13, 22 und 23 Hr. Baum, für 4, 14, 16 und 21 Hr. Walther, für 6, 7 und 19 Hr. Bechaud, für 9, 15 und 15 Hr. Backens, für 10 und 17 Hr. Deicher.

6) Kanton Mutterstadt.

Nummer.	Bürger-meistereien.	Gemeinden.	Seelen-Zahl.	Namen der Bürgermeister.
				H. H.
1	Alsheim . . .	Alsheim	311	Scherner
		Schauernheim	420	
2	Altripp . . .	Altripp	326	Heck
3	Böhl	Böhl	1200	Groß
4	Dannstadt . .	Dannstadt	700	Renner
5	Friesenheim . .	Friesenheim	870	Rikert
6	Hochdorf . . .	Assenheim	434	Peter
		Hochdorf	439	
7	Iggelheim . .	Iggelheim	1300	Bechtold
8	Mundenheim .	Maudach	612	Weiß
		Mundenbach	721	
9	Mutterstadt . .	Mutterstadt	2000	Biebinger
10	Neuhofen . .	Neuhofen	710	Graff
		Rheingönheim	690	
11	Oggersheim . .	Oggersheim	1400	Heuß
12	Rugheim . . .	Fusgönheim	650	Kreiselmayer
		Rugheim	900	

Im Kanton 13673

Steuereinnehmer für die Bürgermeistereien 1, 4 und 5 Hr. Renner, für 2, 10, 11 und 12 Hr. Rodrian, für 7 Hr. Vögele, für 8 und 9 Hr. Derscheid.

7) Kanton-Neustadt.

Nummer.	Bürger-meistereien.	Gemeinden.	Seelen-Zahl.	Namen der Bürgermeister.
				H. H.
1	Diedesfeld . .	Diedesfeld	1161	Gies
2	Duttweiler . .	Duttweiler	500	Bergthold
3	Elmstein . . .	Elmstein Appenthal Iggelbach	1040	Lanz
4	Esthal . . .	Esthal Frankeneck Neidenfels	810	Kaiser
5	Geinsheim . .	Geinsheim	860	Lederle
6	Gimmeldingen .	Gimmeldingen Lobloch	1168	Reis
7	Hambach . .	Hambach	1500	Weick
8	Haardt . . .	Haardt	1000	Ferkel
9	Haßloch . . .	Haßloch	3560	Schmitt
10	Königsbach . .	Königsbach	625	Fabry
11	Lachen . . .	Lachen Speyerdorf	1600	Greß
12	Lambrecht . . .	Grävenhausen Lambrecht Lindenberg	340 1300 260	Marx
13	Meckenheim . .	Meckenheim	1484	Dornberger
14	Musbach . . .	Musbach	1400	Petif
15	Neustadt . . .	Neustadt	4324	Tischleder
16	Ruppertsberg .	Ruppertsberg	780	Duttenhöfer

Nummer.	Bürger-meistereien.	C Gemeinden.	Seelen-Zahl.	Namen der Bürgermeister.
				H. H.
17	Weidenthal . .	Weidenthal	726	Haffen
18	Winzingen . .	Winzingen Branchweiler	495	Schimpf

In Kanton 24933

Steuereinnehmer für die Bürgermeistereien 1, 2, 5 und 11 Herr Kupferberg, fur 3, 4 und 12 Hr. Schmitt, für 6, 10 und 14 Hr. Arndorf, für 7 Hr. Schaar, für 8 Hr. Auweiler, für 9 Hr. Juliano, für 15 und 16 Hr. Kumpf, für 15 und 18 Hr. Specht (provisorisch), fur 17 Hr. Frey.

8) Kanton Pfeddersheim.

Nummer.	Bürgermeistereien.	Gemeinden.	Seelen-Zahl.	Namen der Bürgermeister.
1	Bermersheim .	Bermersheim	250	Peth
2	Dahlsheim . .	Dahlsheim	518	Obenauer
3	Guntersheim .	Guntersheim Enzheim	850	Jeft
4	Gundheim . .	Gundheim	440	Herking
5	Heppenheim an der Wiese	Heppenheim an der Wiese	1190	Muth
6	Hernsheim . .	Hernsheim	1160	Born
7	Hochheim . .	Hochheim	562	Bender
8	Hohensülzen .	Hohensülzen	430	Schüttheln
9	Horchheim . .	Horchheim	774	Helzmann
10	Kriegsheim . .	Kriegsheim	500	Nekenauer
11	Leiselheim . .	Leiselheim	561	Tempel
12	Mölsheim . .	Mölsheim	500	Brennings-heff

Nummer.	Bürger-meistereien.	Gemeinden.	Seelen-Zahl.	Namen der Bürgermeister.
				H. H.
13	Mörstadt . . .	Mörstadt	430	Mundorf
14	Monsheim . .	Monsheim	650	Sevin
15	Neuhausen . .	Neuhausen	320	Magenheimer
16	Niederflörsheim .	Niederflörsheim	602	Hedderich
17	Oberflörsheim .	Oberflörsheim	850	Stauf
18	Offstein . . .	Offstein	600	Marggraf
19	Pfeddersheim .	Pfeddersheim	1500	v. Hortal
20	Pfiffligheim . .	Pfiffligheim	770	Schall
21	Wachenheim an der Pfrimm	Wachenheim an der Pfrimm	500	Gieß
22	Wiesoppenheim .	Weinsheim Wiesoppenheim	300 388	Stahl

Im Kanton 14645

Steuereinnehmer für die Bürgermeistereien 1, 3 und 17 Herr Müller, für 2, 8, 10, 12, 14, 16, 18 und 21 Hr. Mühlhäuser, für 5, 9 und 22 Hr. Schredelsecker, für 6, 7, 11, 15 und 20 Hr. Vogelsberger, für 13 und 19 Hr. Strieder.

9) Kanton Speyer.

1	Dudenhofen . .	Dudenhofen	700	Wesel
2	Hanhofen . .	Hanhofen	460	Gros
3	Heiligenstein . .	Harthausen Heiligenstein	624 520	Schulz

Nummer.	Bürger-meistereien.	Gemeinden.	Seelen-Zahl.	Namen der Bürgermeister.
				H. H.
4	Mechtersheim ·	Berghausen Mechtersheim	469 540	Grund
5	Otterstadt · ·	Otterstadt	660	Rieger
6	Schifferstadt · ·	Schifferstadt	1836	Isselhard
7	Speyer · · ·	Speyer	6000	Claus
8	Waldsee · · ·	Waldsee	760	Tremmel

Im Kanten 12569

Steuereinnehmer für die Bürgermeistereien 1, 2, 3 4 und 5 Herr Braun, für 6 Hr. Vögele (siehe den Kanton Mutterstadt), für 7 und 8 Hr. Heron.

10) Kanton Worms.

1	Worms · · ·	Worms	6000	Valkenberg

Steuereinnehmer der Bürgermeisterei Hr. Eikemeyer.

Uebersicht des Kreises Speyer.

Kantone.	Anzahl der Bürgermeistereien.	Anzahl der Gemeinden.	Seelenzahl.
Dürkheim . .	14	23	18500
Edenkoben . .	17	26	23324
Frankenthal . .	12	17	14120
Germersheim .	12	14	11926
Grünstadt . .	23	29	20272
Mutterstadt . .	12	17	13673
Neustadt . . .	18	27	24933
Pfeddersheim .	22	24	14645
Speyer . . .	8	10	12569
Worms . . .	1	1	6000
Hauptsumme .	139	188	159962

10

III. Kreis Kaiserslautern.

1) Kanton Kaiserslautern.

Nummer.	Bürger-meistereien.	Gemeinden.	Seelen-Zahl.	Namen der Bürgermeister.
				H. H.
1	Alsenborn. . .	Alsenborn Enkenbach Neunkirchen	622 791 521	Fuchs
2	Hochspeyer . .	Frankenstein Hochspeyer Waldleiningen	352 980 169	Ritter
3	Kaiserslautern .	Dansenberg Erlenbach Hohenecken Kaiserslautern Moorlautern	155 312 227 3757 312	Hummel
4	Trippstadt . .	Krückenbach Mölsbach Stelzenberg Trippstadt	220 358 329 1227	Schäfer

Nummer.	Bürger-meistereien.	Gemeinden.	Seelen-Zahl.	Namen der Bürgermeister.
				H. H.
5	Weilerbach	Erfenbach	298	Neger
		Erzenhausen	386	
		Rodenbach	322	
		Siegelbach	293	
		Stockborn	63	
		Weilerbach	751	
		Im Kanton	12485	

Steuereinnehmer für die Bürgermeistereien 1 Herr Weiffenbach, für 2 Hr. Seußer, für 3 Hr. Meuth, für 4 Hr. Huber, für 5 Hr. Rulff.

2) Kanton Göllheim.

1	Draisen	Draisen	545	Pütter
		Standenbühl	301	
		Weitersweiler	336	
2	Eisenberg	Eisenberg	634	Holzbacher
3	Göllheim	Göllheim	1137	Groß
		Rüssingen	280	
4	Harxheim	Harxheim	453	Seiß
		Niefernheim	189	
		Zell	345	
5	Kerzenheim	Kerzenheim	653	Rittersba-cher
		Lautersheim	299	
		Rodenbach	191	
6	Ottersheim	Bubenheim	233	Bassing
		Budesheim	390	
		Immesheim	124	
		Ottersheim	161	

Nummer.	Bürger-meistereien.	Gemeinden.	Seelen-Zahl.	Namen der Bürgermeister.
7	Ramsen . . .	Ramsen	546	H. H. Finger
		Stauf	175	

Im Kanton 6992

Steuereinnehmer für die Bürgermeistereien 1 Herr Sebastian, für 2 und 7 Hr. Kurz, für 3 Hr. Schäfer, für 4 und 6 Hr. Blank, für 5 Hr. Schneider.

3) Kanton Lauterecken.

Nummer.	Bürgermeistereien.	Gemeinden.	Seelen-Zahl.	Namen der Bürgermeister.
1	Becherbach . .	Becherbach	315	Clemenz
		Gangloff	158	
		Nußbach	453	
		Reipoltskirchen	346	
		Roth	229	
2	Hundheim . .	Aschbach	210	Dres
		Gumbsweiler	210	
		Hachenbach	140	
		Hinzweiler	258	
		Hundheim	191	
		Nerzweiler	116	
3	Lauterecken . .	Cronenberg	180	H. Müller
		Heinzenhausen	134	
		Hohenöllen	380	
		Lauterecken	792	
		Lohnweiler	343	
4	Odenbach . .	Adenbach	181	K. Müller
		Ginsweiler	170	
		Odenbach	738	
		Reiffelbach	264	
		Schmittweiler	199	

Im Kanton 6007

Steuereinnehmer für die Bürgermeistereien 1 und 4 Herr Römmig, für 2 und 3 Hr. Lehne.

4) Kanton Obermoschel.

Nummer.	Bürger, meistereien.	Gemeinden.	Seelen-Zahl.	Namen der Bürgermeister.
				H. H.
1	Alfenz	Alfenz	1141	Müller
		Cöln	101	
		Mannweiler	204	
		Oberndorf	290	
2	Duchroth	Duchroth	538	Porr
		Oberhausen	271	
3	Ebernburg	Altenbamberg	343	Blesius
		Ebernburg	344	
		Hochstätten	302	
4	Feil	Bingart		Robrian
		Feil	709	
		Hallgarten	399	
5	Niederhausen	Kalkofen	181	Brunk
		Münsterappel	459	
		Niederhausen	300	
		Oberhausen	173	
		Winterbern	217	
6	Obermoschel	Callbach	391	Neu
		Niedermoschel	510	
		Obermoschel	794	
		Schiersfeld	317	
		Sitters	149	
		Unkenbach	270	
7	Odernheim	Lettweiler	382	Stockinger
		Odernheim	845	
		Rehborn	566	
			10196	

Steuereinnehmer für die Bürgermeistereien 1, 3 und 4 Herr Steinmetz, für 2 und 7 Hr. Geib, für 5 Hr. Fischborn, für 6 Hr. Müller.

5) Kanton Otterberg.

Nummer.	Bürger-meistereien.	Gemeinden.	Seelen-Zahl.	Namen der Bürgermeister.
				H. H.
1	Heiligenmoschel .	Heiligenmoschel	383	Rahm
		Schallodenbach	375	
		Schneckenhausen	344	
2	Kaulbach . .	Frankelbach	215	Bast
		Kaulbach	190	
		Greimbach	256	
		Moorbach	195	
		Wörschbach	301	
3	Katzweiler . .	Hirschhorn	193	Creutz
		Katzweiler	562	
		Mehlbach	249	
		Olzbrücken	530	
		Sulzbach	191	
4	Mehlingen . .	Baalborn	283	Eyer
		Mehlingen	397	
5	Niederkirchen .	Heimkirchen	251	Vollmar
		Niederkirchen	430	
6	Otterbach . .	Otterbach	476	Kipper
		Sambach		
7	Otterberg . . .	Otterberg	1944	Raquet
		Im Kanton	7764	

Steuereinnehmer für die Bürgermeistereien 1, 4, 5, 6 und 7 Herr Louis, für 2 und 3 Hr. Gugel.

6) Kanton Rockenhausen.

1	Bisterschied . .	Bisterschied	328	Laurer
		Dörrmoschel	227	
		Teschenmoschel	177	

Nummer.	Bürger= meistereien.	Gemeinden.	Seelen= zahl.	Namen der Bürgermeister.
				H. H.
1	Dielkirchen . .	Bayerfeld Steckweiler Dielkirchen Steingruben	301 436 110	Wertensohn (provisorisch)
2	Dörnbach . .	Dörnbach Ratzenbach	443 330	Klein
3	Gaugrehweiler .	Gaugrehweiler Würtzweiler	660 267	Fabel
4	Ransweiler . .	Ransweiler Schönborn Stahlberg	347 175 462	Zimmer= mann.
5	Rockenhausen . .	Marienthal Rockenhausen	358 1324	Bettetino
6	Waldgrehweiler .	Finkenbach Gersweiler Waldgrehweiler	355 405	Göbel

Im Kanton 6705

Steuereinnehmer für die Bürgermeistereien 1, 3 und 7 Herr Kruft, für 2, 5 und 6 Hr. Loos, für 4 Hr. Vollet.

7) Kanton Winnweiler.

1	Breunigweiler .	Breunigweiler Börrstadt	366 749	Dick
2	Gundersweiler .	Gerweiler Gundersweiler Heringen Imsweiler	280 374 484 512	Kolter
3	Imsbach . . .	Falkenstein Imsbach Steinbach	294 659 509	Emig

Nummer.	Bürger-meistereien.	Gemeinden.	Seelen-Zahl.	Namen der Bürgermeister.
				H. H.
4	Lonsfeld . . .	Lonsfeld	510	Ritter
		Sembach	597	
		Wartenberg	305	
		Rohrbach		
5	Münchweiler .	Gehmbach	217	Vogel
		Münchweiler	639	
		Neuhemsbach	467	
		Sippersfeld	458	
6	Winnweiler . .	Alsenbrück		Barth
		Langmeil	411	
		Hochstein	279	
		Potsbach	384	
		Schweisweiler	313	
		Winnweiler	915	

Im Kanton 9722

Steuereinnehmer für die Bürgermeistereien 1 und 5 Herr Baum, für 2 Hr. Hoffmann, für 3 und 6 Hr. Hummel, für 4 Hr. Weitzel.

8) Kanton Wolfstein.

Nummer.	Bürger-meistereien.	Gemeinden.	Seelen-Zahl.	Namen der Bürgermeister.
1	Bosenbach . .	Bosenbach	440	Drees
		Friedelshausen	174	
		Oberstaufenbach	161	
		Niederstaufenbach	120	
2	Eßweiler . . .	Eßweiler	556	Grin
		Oberweiler	273	
3	Hefersweiler .	Bergweiler	80	Geib
		Hefersweiler	239	
		Rathskirchen	125	
		Reichsthal	134	
		Rölsberg	188	
		Rudolfskirchen	92	
		Seelen	198	

Nummer.	Bürger-meistereien.	Gemeinden.	Seelen-Zahl.	Namen der Bürgermeister.
				H. H.
4	Herschbach	Bedesbach	189	Göres
		Herschbach	408	
		Elsweiler		
		Welchweiler	208	
5	Jettenbach	Albersbach	135	Vogt
		Eulenbiß	217	
		Jettenbach	657	
		Rollweiler	323	
		Pörrbach	74	
6	Neunkirchen	Fökelberg	362	Ostermann
		Mühlbach an dem Glan	416	
		Neunkirchen	438	
		Rutzweiler an dem Glan	143	
7	Rothseelberg	Reßbach	281	Weißmann
		Rothseelberg	455	
		Rutzweiler an der Lauter	187	
8	Wolfstein	Einöllen	272	Fuchs
		Unterweiler	271	
		Tiefenbach		
		Wolfstein	580	

Im Kanton 8396

Steuereinnehmer für die Bürgermeistereien 1, 2 und 4 Herr Zimmer, für 3, 7 und 8 Hr. Bernhard, für 5 Hr. Leonhard, für 6 Hr. Weis.

Uebersicht des Kreises Kaiserslautern.

Kantone.	Anzahl der Bürgermeistereien.	Anzahl der Gemeinden.	Seelenzahl.
Kaiserslautern .	5	21	12485
Göllheim . . .	7	18	6992
Lauterecken . .	4	21	6007
Obermoschel . .	7	26	10196
Otterberg . .	7	20	7764
Rockenhausen .	7	19	6705
Winnweiler . .	6	23	9722
Wolfstein . .	8	33	8396
Hauptsumme .	51	181	68267

IV. Kreis Zweybrücken.

1) Kanton Annweiler.

Nummer.	Bürger- meistereien.	Gemeinden.	Seelen- Zahl.	Namen der Bürgermeister.
				H. H.
1	Artzheim . . .	Artzheim	923	(unbesetzt.)
		Ranschbach	336	
2	Annweiler . .	Annweiler und Sarnstall	1758	Sieben
		Bindersbach	163	
		Gräfenhausen	466	
		Queichhambach	192	
		Wernersberg	397	
3	Albersweiler .	Albersweiler	1640	Neubauer
		Dörrenbach	350	
		Leinsweiler	400	
4	Birkenhörd . .	Birkenhörd	464	Wagner
		Bellenborn und Reichdorf	128	
		Blankenborn	114	
5	Eschbach . . .	Eschbach	640	Günther
		Munchweiler	158	
		Waldhambach	373	
		Waldrohrbach	235	

Nummer.	Bürger-meistereien.	Gemeinden.	Seelen-Zahl.	Namen der Bürgermeister.
				H. H.
6	Göcklingen	Göcklingen	1100	Keller
		Impflingen	500	
7	Ilbisheim	Ilbisheim	957	(unbesetzt.)
8	Oberschlettenbach	Darrstein	93	Steffel
		Dimbach	170	
		Oberschlettenbach	202	
		Vorderweitenthal	430	
9	Ramberg	Euserthal	400	Hutschler
		Ramberg	800	
10	Schwanheim	Gossersweiler	456	Kuntz
		Lug	190	
		Schwanheim	403	
		Silz	385	
		Stein	257	
		Völkersweiler	230	
11	Siebeldingen	Birkweiler	488	Rebholz
		Godramstein	1281	
		Siebeldingen	861	
12	Willgartswiesen	Ninthal	368	Brödel
		Spirkelbach	273	
		Willgartswiesen und Hofstätten	732	
		Im Kanten	19313	

Steuereinnehmer für die Bürgermeistereien 1, 6 und 11 Herr Schwarz, für 2 und 5 Hr. Kramp, für 3 und 9 Hr. Moser, für 4, 8, 10 und 12 Lucius, für 7 (unbesetzt).

2) Kanton Dahn.

Nummer.	Bürger-meistereien.	Gemeinden.	Seelen-Zahl.	Namen der Bürgermeister.
				H. H.
1	Bärenbach . .	Bärenbach	92	Burkhard
2	Bobenthal . .	Bobenthal	297	Klemm
3	Bruchweiler . .	Bruchweiler	335	Burkhard
4	Bundenthal . .	Bundenthal	674	Klemm
5	Busenberg . .	Busenberg	541	Cramer
6	Dahn . . .	Dahn	942	Martin
7	Erfweiler . .	Erfweiler	383	Kupper
8	Erlenbach . .	Erlenbach	264	Dahn
9	Fischbach . . .	Fischbach	559	Schlick
10	Hauenstein . .	Hauenstein	486	Seibel
11	Hinterweidenthal	Hinterweidenthal	492	Schenk
12	Lauterschwan .	Lauterschwan	58	Eisenhauer
13	Niedersteinbach .	Niedersteinbach	403	Brunner
14	Schindhard . .	Schindhard	199	Breitsch
15	Unterschlettenbach	Unterschlettenbach	243	Müller

Im Kanton 5968

Steuereinnehmer für die Bürgermeistereien 1, 3, 4, 5, 6, 7, 8, 10, 11, 12, 14 und 15 Herr Fleischbein, für 2, 9 und 13 Hr. Houbeau.

3) Kanton Homburg.

Nummer.	Bürger-meistereien.	Gemeinden.	Seelen-Zahl.	Namen der Bürgermeister.
1	Grosbundenbach	Biedershausen	280	Brenesholz
		Grosbundenbach	370	
		Kleinbundenbach	280	
		Mörsbach	365	

Nummer.	Bürger-meistereien.	Gemeinden.	Seelen-Zahl.	Namen der Bürgermeister.
				H. H.
		Bechhofen	261	
		Beeden, Schwar-zenacker, Schwar-zenholz	126	
2	Homburg . .	Erbach und Reis-kirchen	615	Frenzel
		Homburg	2157	
		Kirberg	380	
		Käshofen	345	
3	Käshofen . .	Krähenberg	224	Cholage
		Rosenkopf	105	
		Wiesbach	395	
		Lambsborn	330	
4	Lambsborn . .	Langwieden	130	Neumann
		Martinshöhe	550	
		Im Kanton	**6913**	

Steuereinnehmer für die Bürgermeistereien 1, 3 und 4 Herr Engelbach, für 2 Hr. Zöller.

4) Kanton Landstuhl.

1	Bruchmühlbach .	Bruchmühlbach	180	
		Hauptstuhl	140	Schmit
		Muhlbach	200	
		Vogelbach	250	
2	Gerhardsbrunn .	Gerhardsbrunn	189	
		Kirchenarmbach u. Mittelbrunn	180	Müller
		Obernheim	428	
		Oberarmbach	115	
3	Hütschenhausen .	Hütschenhausen	800	
		Katzenbach	280	Rub
		Spesbach	220	

Nummer.	Bürgermeistereien.	Gemeinden.	Seelen-Zahl.	Namen der Bürgermeister.
				H. H.
4	Landstuhl . .	Bann	415	
		Kindsbach	275	Schuler
		Landstuhl	950	
5	Obermoor . .	Bettenhausen	158	
		Cottweiler und Schwanden	288	
		Nanz und Dietzweiler	198	
		Niedermoor	317	Mazenbacher
		Obermoor	292	
		Reischbach	189	
		Schrollbach	213	
		Steinwenden	323	
		Weltersbach	184	
6	Queidersbach .	Linden	198	Leidner
		Queidersbach	318	
7	Ramstein . .	Mackenbach	380	
		Miesenbach	400	Vögele
		Ramstein	680	
8	Reichenbach . .	Gimbsbach	152	
		Limbach und Fockenbach	220	
		Matzenbach	155	Wolf
		Reichenbach	290	
		Steegen	450	
		Schwedelbach	350	
		Im Kanton	10377	

Steuereinnehmer für die Bürgermeistereien 1 und 3 Herr Munsinger, für 2 und 6 Hr. Müller, für 4 und 7 Hr. Gaffert, für 5 und 8 Hr. Schwegel.

5) Kanton Medelsheim.

Nummer.	Bürger-meistereien.	Gemeinden.	Seelen-Zahl.	Namen der Bürgermeister.
				H. H.
1	Altaltheim	Altaltheim	665	Schuler
		Neualtheim	230	
2	Medelsheim	Medelsheim	475	Sälter
		Pepekum	275	
		Seyweiler	200	
3	Mittelbach	Böckweiler	314	Körner
		Hengstbach	214	
		Mittelbach	341	
4	Walsheim	Bliesdahlheim	310	Freidinger
		Niedergailbach	334	
		Walsheim	340	
5	Webenheim	Breitfurth	435	Moschel
		Wattweiler	280	
		Webenheim und Mimbach	1229	
		Im Kanton	7535	

Steuereinnehmer für die Bürgermeistereien 1, 2 und 3 Herr Merkel, für 4 und 5 Hr. Gentes.

6) Kanton Neuhornbach.

Nummer.	Bürger-meistereien.	Gemeinden.	Seelen-Zahl.	Namen der Bürgermeister.
1	Brenschelbach	Brennschelbach u. Rißweiler	338	Schmitt
		Utweiler	120	
2	Grossteinhausen	Bottenbach	500	Schimper
		Grossteinhausen	650	
		Kleinsteinhausen	300	
		Riedelberg	263	
		Walshausen	302	

Nummer.	Bürger-meistereien.	Gemeinden.	Seelen-Zahl.	Namen der Bürgermeister.
				H. H.
3	Mauschbach . .	Dietrichingen	308	Hüther
		Mauschbach	221	
4	Neuhornbach .	Neuhornbach	1300	Schultheiß
5	Rimschweiler .	Althornbach	184	Dietz
		Rimschweiler	218	
		Im Kanton	4708	

Steuereinnehmer für die Bürgermeistereien 1, 2, 3 und 5 Herr Haniß, für 2 Hr. Conrad.

7) Kanton Pirmasens.

Nr.	Bürgermeisterei	Gemeinden	Seelenzahl	Name
1	Eppelbrunn .	Eppelbrunn	580	Stahl
2	Lemberg . . .	Lemberg	1050	Knopf
3	Ninschweiler .	Hocheischweiler	176	Vollmar
		Hochmühlbach	160	
		Ninschweiler und Dusenbrücken	425	
4	Obersteinbach .	Ludwigswinkel		Wagner
		Obersteinbach	2830	
		Petersbächel		
5	Pirmasens . .	Fehrbach	400	Faul
		Pirmasens	4800	
		Ruppertsweiler	150	
6	Rodalben . .	Donnsieders	887	Trautmann
		Münchweiler	760	
		Rodalben und Petersberg	1391	

11

Nummer.	Bürger= meistereien.	Gemeinden.	Seelen= zahl.	Namen der Bürgermeister.
				H. H.
7	Schönau · ·	Hirschthal Nothweiler Rumbach Schönau	184 279 452 525	Schneider
8	Simbten · ·	Erlenbrunn Obersimbten Niedersimbten	461	Gramer
9	Thaleschweiler ·	Thalfröschen Thaleschweiler	430 648	Ludi
10	Trulben · · ·	Hilst Kreppen Schweicks Trulben	1488	Kölsch
11	Vinningen · ·	Gersbach Vinningen Winzeln	401 822 54	Seidel
12	Windsberg · ·	Hengstberg Winsberg	116 328	Vollmar
		Im Kanton	29797	

Steuereinnehmer für die Bürgermeistereien 2, 5, 11 und 12
Herr Seelig, für 3, 4 und 9 Hr. Kölsch, für 7, nebst 2, 9
und 13 vom Kanton Dahn Hr. Hubenau.

8) Kanton Waldfischbach.

| 1 | Heltersberg · · | Geiselberg Heltersberg Schmalenberg Steinalben | 350 650 370 75 | Moritz |

Nummer.	Bürger-meistereien.	Gemeinden.	Seelen-Zahl.	Namen der Bürgermeister.
				H. H.
2	Herschberg . .	Herschberg	650	Schaaf
		Saalstadt	260	
		Schauerberg	140	
		Wallhalben	300	
3	Hocheinöd . .	Hocheinöd	675	Höh
4	Horrbach . . .	Hermersberg	435	Keckeisen
		Horrbach	315	
5	Merzalben . .	Klausen	460	Hauck
		Laimen	340	
		Merzalben	360	
6	Waldfischbach .	Burgalben	410	Stein
		Schopp	140	
		Waldfischbach	350	
7	Zeselberg . . .	Haarsberg	170	Storck
		Hettenhausen	172	
		Zeselberg	213	
		Weselberg	240	
	Im Kanton		7075	

Steuereinnehmer für die Bürgermeistereien 1, 5 und 6 Herr Henrich, für 2 und 3, nebst 3 vom Kanton Zweybrücken Hr. Munzinger, für 4 und 7 Hr. Büchler.

9) Kanton Zweybrücken.

Nummer.	Bürgermeistereien.	Gemeinden.	Seelen-Zahl.	Namen der Bürgermeister.
1	Contwig . . .	Contwig	1100	Giesen
		Dellfeld	350	
		Niederauerbach	650	
		Oberauerbach	597	
		Stambach	80	

Nummer.	Bürger-meistereien.	Gemeinden.	Seelen-Zahl.	Namen der Bürgermeister.
				H. H.
2	Einnöd . . .	Einnöd und Ing-weiler	503	Schneider
		Irheim	448	
3	Maßweiler . .	Maßweiler	415	Sieß
		Rieschweiler	432	
4	Schmitshausen .	Oberhausen	248	Buchheit
		Reiffenberg	300	
		Schmitshausen	300	
5	Winterbach . .	Battweiler	200	Weißel
		Knopp	294	
		Niederhausen	180	
		Winterbach	240	
6	Zweybrücken .	Zweybrücken, Bu-benhausen und Ernstweiler	6200	Jericho
		Im Kanten	12537	

Steuereinnehmer für die Bürgermeistereien 1, 4 und 5 Herr Zorn, für 6 Hr. Besnard, für 2 Hr. Kröber, für 3 siehe den Kanton Waldfischbach.

Ueberficht des Kreifes Zweybrücken.

Kantone.	Anzahl der Bürgermeistereien.	Anzahl der Gemeinden.	Seelen-Zahl.
Annweiler	12	39	19313
Dahn	15	15	5968
Homburg	4	19	6913
Landftuhl	8	39	10377
Medelsheim	5	16	5633
Neuhornbach	5	13	4704
Pirmafens	12	34	19797
Waldfifchbach	7	21	7075
Zweybrücken	6	20	12537
Hauptfummen	74	216	92317

V. Kreis Trier.

1) Kanton Bernkastel.

Nummer.	Bürger-meistereien.	Gemeinden.	Seelen-Zahl.	Namen der Bürgermeister.
				H. H.
1	Bernkastel	Bernkastel	1607	
		Graach	710	
		Gunzerath	333	Stöck
		Langkamp	644	
		Monzelfeld	462	
		Kleinich	560	
2	Mühlheim	Andel	194	
		Burgen	498	
		Dusemond	613	
		Filzen	280	Doufner
		Gornhausen	293	
		Mühlheim	616	
		Veldenz	620	
		Winterich	739	
3	Zeltingen	Erden	293	
		Kindel	63	
		Lösenich	328	Schmittgen
		Rachtig	439	
		Wolf	447	
		Zeltingen	1143	

Im Kanton 10882

Steuereinnehmer für die Bürgermeisterei 1 Herr Friderici, für 2 und 3 Hr. Adams.

2) Kanton Conz.

Nummer.	Bürger-meistereien.	Gemeinden.	Seelen-Zahl.	Namen der Bürgermeister.
				H. H.
1	Canzem	Canzem	223	Koch
		Wildingen	533	
2	Conz	Cönen	293	Simon
		Conz	433	
		Filzen	157	
		Hamm	95	
		Merzelich	99	
		Tawern	427	
		Wawern	198	
3	Irsch	Corlingen	93	Heinsdorf
		Filsch	91	
		Gutweiler	125	
		Gusterath	137	
		Hockweiler	65	
		Irsch	124	
		Kernscheid	182	
		Tarforst	191	
4	Nittel . . .	Littorf	115	Müller
		Nittel	1035	
		Timmels	462	
		Winchringen	533	
5	Oberemmel . .	Cemmlingen	127	Creutz
		Crettenach	239	
		Campaden	255	
		Niedermennig	96	
		Oberemmel	443	
		Pellingen	222	

Nummer.	Bürgermeistereien.	Gemeinden.	Seelen-Zahl.	Namen der Bürgermeister.
				H. H.
6	Schöndorff	Bonnerath	130	Zimmer
		Franzenheim	160	
		Hinzenburg	80	
		Ho zrath	175	
		Olmuth	86	
		Puwig	210	
		Schöndorff	225	
7	Wasserlisch	Fellerich	130	Hoffmann
		Oberbillig	191	
		Reinig	147	
		Wasserlisch	377	

Im Kanten 8904

Steuereinnehmer für die Bürgermeistereien 1 und 7 (unbesetzt), für 2, 3, 5 und 6 Hr. Herges, für 4 Hr. Hansen.

3) Kanton Merzig.

Nummer.	Bürgermeistereien.	Gemeinden.	Seelen-Zahl.	Namen der Bürgermeister.
1	Besseringen	Besseringen	451	Hoffmann
		Britten	425	
		Mettloch	164	
		Saarholzbach	366	
2	Bietzen	Bietzen	210	Artois
		Harlingen	105	
		Menningen	169	
3	Hausbach	Bachem	215	Oberconz (provisorisch)
		Breddorf	430	
		Hausbach	245	

Nummer.	Bürger-meistereien.	Gemeinden.	Seelen-Zahl.	Namen der Bürgermeister.
				H. H.
4	Hilbringen	Büdingen	294	
		Hilbringen	1308	
		Mechern	282	
		Mondorf	324	Baden
		Schwemlingen	456	
		Silwingen	174	
		Weiler	108	
		Wellingen	216	
5	Losheim	Bergen	162	
		Losheim	1087	
		Niederlosheim	515	Klaub
		Scheiden	156	
		Wadhölzbach	177	
6	Merzig	Merzig	2281	Arteis
7	Orscholz	Betingen	65	
		Büschdorf	182	
		Dreisbach	187	
		Keuchingen	192	
		Nohn	203	
		Oeft	662	Schmelzer
		Orscholz	673	
		Tünsdorf	407	
		Wechingen	242	
		Weiten	506	
8	Wahlen	Oppen	156	
		Rimlingen	185	Franck
		Rissenthal	174	
		Wahlen	590	

Im Kanten 14644

Steuereinnehmer für die Bürgermeistereien 1, 2 und 6 (unbesetzt),
für 4 Hr. Wagner, für 7 Hr. Baden.

4) Kanton Neumagen.

Nummer.	Bürger-meistereien.	Gemeinden.	Seelen-Zahl.	Namen der Bürgermeister.
				H. H.
1	Beuren	Bescheid	206	Klein
		Beuren	338	
		Naurath	198	
		Prestert	137	
2	Heidenburg	Breidt	184	Sebastiani
		Büdlich	168	
		Heidenburg	372	
3	Leiwen	Detzem	336	Feilen
		Körerich	220	
		Leiwen	826	
		Thörnich	151	
4	Neumagen	Neumagen	1103	Feilen
		Thron	487	
5	Niederemmel	Gräfenthron	132	Klasen
		Horath	256	
		Niederemmel	857	
6	Talling	Berglicht	278	Kolz
		Gillert	121	
		Neukirch	145	
		Schönberg	208	
		Talling	190	
		Luckenburg	100	

Im Kanton 7013

Steuereinnehmer für die Bürgermeistereien 1, 2 und 6 Hr. Widu, für 3, 4 und 5 Hr. Lichberz.

5) Kanton Ruver.

Nummer.	Bürger-meistereien.	Gemeinden.	Seelen-zahl.	Namen der Bürgermeister.
				H. H.
1	Longuich . . .	Fasterau	136	Grans
		Fell	563	
		Kenn	390	
		Longuich	545	
		Riol	323	
2	Ruver . . .	Eitelsbach	121	Henn
		Casel	231	
		Mertesdorf	285	
		Morscheid	211	
		Riveris	125	
		Ruver	512	
		Waldrach	553	
		Im Kanton	3995	

Steuereinnehmer für den ganzen Kanton Herr Hemmery.

6) Kanton Saarburg.

Nummer	Bürgermeisterei	Gemeinden	Seelen	Bürgermeister
1	Berg	Besch	540	v. Maringer
		Berg	364	
		Mandern	389	
		Wuchern	211	
2	Freudenburg .	Castel	209	Hermes
		Freudenburg	603	
		Hamm	74	
		Taben	338	
3	Irsch	Beurich	203	Keller
		Irsch	554	
		Ockfen	134	
		Schöden	102	
		Serrig	402	

Nummer.	Bürger-meistereien.	Gemeinden.	Seelen-Zahl.	Namen der Bürgermeister.
				H. H.
4	Meurich . . .	Bißingen	140	Kune
		Faha	360	
		Kelsen	160	
		Kirf	321	
		Körrig	129	
		Meurich	180	
		Perz	183	
		Rommelfangen	60	
5	Nennig . . .	Nennig	286	v. Maringer
		Wehr	265	
		Weiler	150	
		Wies	100	
6	Perl	Butzdorf	131	Weitmann
		Keßlingen	85	
		Niederperl	394	
		Oberperl	253	
		Oberleuken	134	
		Sehndorf	161	
		Tettingen	93	
7	Saarburg . .	Ail	346	Haas
		Bibelhausen	55	
		Kahren	180	
		Keutweiler	123	
		Leuken	254	
		Mannebach	351	
		Saarburg	2116	
		Söst	101	
		Trassem	422	

Nummer.	Bürger- meistereien.	Gemeinden.	Seelen- Zahl.	Namen der Bürgermeister.
				H. H.
8	Sinz	Beuren	211	
		Dillmahr	102	
		Essingen	85	
		Helfand	219	
		Münzingen	66	Dittlinger
		Palzem	213	
		Rehlingen	61	
		Siedlingen	82	
		Sinz	241	
9	Zerf	Baldringen	88	
		Frommersbach	97	
		Grimerath	312	
		Henteren	258	Schmitz
		Niederzerf	240	
		Oberzerf	266	
		Schömerich	84	

Im Kanton 14281

Steuereinnehmer für die Bürgermeistereien 1 und 5 Hr. Fock, für 2, 6 und 8 Hr. Gerardi, für 3 und 9 Hr. Haas, für 4 und 7 Hr. Chevalier.

7) Kanton Trier.

Nummer.	Bürger- meistereien.	Gemeinden.	Seelen- Zahl.	Namen der Bürgermeister.
1	Trier	St. Barbara	461	
		Cürenz	404	
		Feyen	264	
		Heiligkreutz	291	
		Löwenbrücken	257	
		St. Mathias	593	Recking
		St. Medard	181	
		Olewig	239	
		Pollastmahr	592	
		Straßmahr	295	
		Trier	9608	
		Zurlauben	291	

Im Kanton 13475

Steuereinnehmer für den Kanton Hr. Jonas und Ladner.

Uebersicht des Kreises Trier.

Kantone.	Anzahl der Bürgermeistereien.	Anzahl der Gemeinden.	Seelenzahl.
Bernkastel . .	3	20	10882
Conz	7	38	8904
Merzig . . .	8	38	14644
Neumagen . .	6	23	7013
Ruver . . .	2	12	3995
Saarburg . .	9	57	14281
Trier	1	12	13475
Hauptsummen .	36	199	73194

VI. Kreis Birkenfeld.

1) Kanton Baumholder.

Nummer.	Bürger-meistereien.	Gemeinden.	Seelen-Zahl.	Namen der Bürgermeister.
				H. H.
1	Baumholder . .	Baumholder	996	Stephan
		Breingenborn	50	
		Erßweiler	267	
		Fronhausen	90	
		Prunbach	193	
		Mambachel	345	
		Ronneberg	152	
2	Berschweiler . .	Berglangenbach	163	Reichert
		Berschweiler	267	
		Eckersweiler	188	
		Fohren u. Linden	177	
		Heimbach	288	
		Mellweiler	256	
		Rohrbach	128	
		Ruckweiler	127	
3	Mittelbollenbach	Ehlenbach	84	Hornung
		Mittelbollenbach	184	
		Kirchenbollenbach	290	
		Nohbollenbach	360	
		Wieselbach	192	

Nummer.	Bürgermeistereien.	Gemeinden.	Seelenzahl.	Namen der Bürgermeister.
				H. H.
4	Nohfelden	Freisen	601	
		Gimbweiler	130	
		Hanweiler	107	Koch
		Leitzweiler	105	
		Nohfelden	359	
		Wolfersweiler	507	
5	Reichenbach	Aulenbach	136	
		Ausweiler	177	
		Frauenberg	88	
		Hammerstein	122	Conradt
		Niohen	249	
		Reichenbach	382	
		Ruschberg	344	
		Im Kanton	7996	

Steuereinnehmer für die Bürgermeistereien 1 und 5 Herr Schmitz, für 2 und 4 Hr. Ehrenfried, für 3 nebst 4 vom Kanton Grumbach Hr. Kopp.

2) Kanton Birkenfeld.

Nummer.	Bürgermeistereien.	Gemeinden.	Seelenzahl.	Namen der Bürgermeister.
1	Achtelsbach	Achtelsbach	269	
		Dambach	96	
		Ellweiler	207	
		Eckelhausen	97	Bonnet
		Eisen	318	
		Meckenbach	90	
		Trauen	96	
2	Birkenfeld	Abentheur	228	
		Birkenfeld	1538	
		Brucken	267	Petersholz
		Buhlenberg	294	
		Dienstweiler	130	
		Ellenberg	87	

Nummer.	Bürger-meistereien.	Gemeinden.	Seelen-Zahl.	Namen der Bürgermeister.
				H. H.
2	Birkenfeld . .	Fehweiler	122	Petersholz
		Hoppstätten	519	
		Rimsberg	90	
		Rinzenberg	188	
		Schimsberg	58	
		Gollenberg	121	
		Weyersbach	162	
3	Leisel	Bäschweiler	77	Wohlstadt
		Hambach	147	
		Hattgenstein	169	
		Heubweiler	59	
		Leisel	197	
		Schwollen	236	
		Siesbach	198	
		Wilzenberg	115	
4	Niederbrombach .	Burbach	90	Bruch
		Cromweiler	128	
		Elchweiler	83	
		Husweiler	71	
		Niederbrombach	256	
		Rokenthal	63	
		Oberbrombach	194	
		Rötzweiler	98	
		Sonneberg	82	
		Im Kanton	7238	

Steuereinnehmer für die Bürgermeistereien 1 nebst 4 vom Kanton Hermeskeil, und 1 vom Kanton Wadern Hr. Schmitt, für 2 Hr. Paquin, für 5 und 4 Hr. Weber.

12

3) Kanton Cusel.

Nummer.	Bürger- meistereien.	Gemeinden.	Seelen- Zahl.	Namen der Bürgermeister.
				H. H.
1	Burglichtenberg .	Albesen	112	Ziegler
		Burglichtenberg	81	
		Herschweiler	183	
		Pfeffelbach	474	
		Reichweiler	243	
		Ruthweiler	220	
		Schwarzerden	105	
		Thallichtenberg	334	
2	Cusel	Blaubach	185	Ruppenthal
		Bledesbach	164	
		Cusel	1837	
		Diedelkopf	200	
		Ehweiler	163	
		Raumbach	299	
		Schellweiler	235	
3	Konken . . .	Herschweiler	430	Limberger
		Hüffler	206	
		Konken	380	
		Krottelbach	205	
		Langenbach	286	
		Ohmbach	270	
		Selchenbach	242	
4	Quirnbach . .	Deisbergstegen	171	Schellenber- ger
		Eisenbach	78	
		Etschberg	292	
		Frutzweiler	164	
		Goddelhausen	172	
		Haschbach	270	
		Liebstahl	114	
		Quirnbach	270	
		Rehweiler	408	
		Trahweiler	184	
		Wanwegen	257	

Nummer.	Bürger-meistereien.	Gemeinden.	Seelen-Zahl.	Namen der Bürgermeister.
				H. H.
5	Ulmet	Altenglan	403	
		Dennweiler und Frö\`nbach	266	
		Erdesbach	224	
		Kernborn	203	Fuchs
		Oberalben	188	
		Patersbach	128	
		Rathsweiler	156	
		Ulmet	495	
		Im Kanton	11288	

Steuereinnehmer für die Bürgermeistereien 1 und 5 Herr Drumm, für 2 Hr. Pfender, für 3 und 4 Hr. Neuberger.

4) Kanton Grumbach.

Nummer.	Bürger-meistereien.	Gemeinden.	Seelen-Zahl.	Namen der Bürgermeister.
1	Grumbach	Cappeln	236	
		Grumbach	376	
		Hausweiler	46	
		Homberg	139	Kühlenthal
		Kirrweiler	168	
		Langweiler	197	
		Merzweiler	100	
		Sulzbach	159	
2	Offenbach	Albessen	355	
		Buborn	122	
		Deimberg	81	
		Eisenbach	208	
		Eschenau	137	Gerlach
		St. Julian	394	
		Offenbach	466	
		Wiesweiler	269	

Nummer.	Bürger-meistereien.	Gemeinden.	Seelen-Zahl.	Namen der Bürgermeister.
				H. H.
3	Schmithachenbach	Bärenbach	252	Feikert
		Becherbach	339	
		Mittelreidenbach	204	
		Otzweiler	174	
		Schmithachenbach	300	
		Weyerbach	519	
		Zaubach	98	
4	Sien	Dikesbach	151	Schmelzer
		Heppstetten	193	
		Illgesheim	160	
		Keffersheim	108	
		Oberreidenbach	325	
		Oberjekenbach	98	
		Sien	379	
		Sienhachenbach	190	
		Unterjekenbach	156	
		Im Kanton	7089	

Steuereinnehmer für die Bürgermeistereien 1 und 2 Herr Schmelzer, für 3 Hr. Bonnet, für 4 siehe Mittelbollenbach im Kanton Baumholder.

5) Kanton Hermeskeil.

Nummer.	Bürger-meistereien.	Gemeinden.	Seelen-Zahl.	Namen der Bürgermeister.
1	Farschweiler . .	Farschweiler	209	Schmitz
		Herel	139	
		Lorscheid	188	
		Osburg	548	
		Thomm	322	
2	Hermeskeil . .	Bierfeld	326	Beck
		Boerfink	243	
		Damfleß	351	
		Gusenburg	251	
		Hermeskeil	706	

Nummer.	Bürger-meistereien.	Gemeinden.	Seelen-Zahl.	Namen der Bürgermeister.
				H. H.
2	Hermeskeil	Hinzert	103	
		Neuhütten	427	
		Nonweiler	202	
		Pölert	122	
		Raichied.	224	Beck
		Reinfeld	584	
		Saufchied	313	
		Züsch	470	
		Geisfeld	311	
3	Kell	Kell	708	
		Schillingen	352	
		Hedert	138	Klockner
		Mandern	436	
		Waldweiler	251	
4	Otzenhausen	Boosen	485	
		Braunhausen	387	
		Otzenhausen	383	Gettbill
		Schwarzenbach	292	
		Sötern	548	
5	Thalfang	Bäsch	147	
		Burtschied	129	
		Denselbach	354	
		Etgert	141	
		Hilschied	282	Heusner
		Immert	169	
		Malborn	391	
		Rorodt	164	
		Thalfang	400	
		Troneken	153	
		Im Kanton	**12239**	

Steuereinnehmer für die Bürgermeistereien 1 und 3 Herr Brill, für 2 Hr. Sepp, für 4 siehe Achtelsbach im Kanton Birkenfeld, für 5 nebst 4 vom Kanton Rhaunen Hr. Kraft.

6) Kanton Herrstein.

Nummer.	Bürgermeistereien.	Gemeinden.	Seelenzahl.	Namen der Bürgermeister.
				H. H.
1	Fischbach . . .	Bergen	291	
		Berschweiler	194	
		Fischbach	305	
		Gehrach	70	
		Goettschied	103	Cäsar
		Griebelschied	120	
		Regelshausen	73	
		Sulzbach	183	
		Tieffenbach .	129	
		Weyerbach	177	
2	Herrstein . .	Herrstein	462	
		Kerborn	99	
		Kirschweiler	185	
		Merschied	457	
		Niederwörresbach	308	Kunz
		Niederhusenbach	308	
		Obertiefenbach	135	
		Oberwörresbach	59	
		Sonnschied	130	
		Veitzrodt	188	
3	Hettenbach . .	Asbach	183	
		Breitenthal	169	
		Bruchweiler	196	
		Hettertöhausen	252	
		Hettenbach	577	Specht
		Kempfeld	307	
		Oberhusenbach	134	
		Schauern	245	
		Weiden	121	
		Wickenrodt	162	

Nummer.	Bürger- meistereien.	Gemeinden.	Seelen- zahl.	Namen der Bürgermeister.
				H. H.
4	Oberstein	Algenrodt	234	
		Entzweiler	49	
		Hettenrodt	230	
		Hettstein	121	Cäsar
		Idar	736	
		Makenrodt	139	
		Oberstein	1481	
		Volmersbach	152	
		Im Kanton	9561	

Steuereinnehmer für die Bürgermeistereien 1 und 4 Herr Leiser, für 2 und 3 Hr. Krauth.

7) Kanton Meisenheim.

Nummer.	Bürger- meistereien.	Gemeinden.	Seelen- zahl.	Namen der Bürgermeister.
1	Hundsbach	Heimberg	143	
		Hundsbach	476	Friedlieb
		Krebsweiler	260	
		Limbach	303	
2	Meisenheim	Abtweiler	226	
		Breitenheim	321	
		Desloch	333	
		Ickenbach	282	
		Lauschied	366	Kempf
		Leelbach	278	
		Meddart	493	
		Meisenheim	1948	
		Raumbach	308	
		Schweinschied	202	
3	Meddersheim	Kirschrodt	262	
		Meddersheim	754	Will
		Staudernheim	691	

Nummer.	Bürger-meistereien.	Gemeinden	Seelen-Zahl.	Namen der Bürgermeister.
				H. H.
4	Merxheim	Beerweiler	356	Brentano
		Hochstätten	158	
		Mekenbach	292	
		Merxheim	992	
		Im Kanton	9483	

Steuereinnehmer für die Bürgermeistereien 1 und 4 Herr Pleins, für 2 Hr. Charles, für 3 Hr. Hexamer.

8) Kanton Rhaunen.

Nummer.	Bürger-meistereien.	Gemeinden	Seelen-Zahl.	Namen der Bürgermeister.
1	Merschied	Eßenrodt	131	Keller
		Haag	316	
		Heinzerodt	255	
		Hunolstein	255	
		Merschied	420	
		Moerschbach	94	
		Weyperath	182	
2	Mohrbach	Bischofthron	237	Brauns
		Gudenthal	500	
		Hundheim	380	
		Hinzerodt	334	
		Horel	185	
		Morbach	567	
		Odert	100	
		Rapperath	272	
		Wederath	206	
		Weißgerath	159	
		Walzburg	81	
3	Rhaunen	Bollenbach	144	Stumm
		Bentenbach	529	
		Crummenau	94	
		Goesenrodt	135	
		Hochscheid	110	

Nummer.	Bürger= meistereien.	Gemeinden.	Seelen= Zahl.	Namen der Bürgermeister.
				H. H.
3	Rhaunen · ·	Oberkleinig	103	
		Oberkirn	194	
		Rhaunen	676	
		Schwerbach	59	Stumm
		Stiepshansen	329	
		Sulzbach	277	
		Wettersbach	103	
		Horbruch	169	
4	Wirschweiler ·	Allenbach	597	
		Morschied	136	
		Riedenburg	237	Weirich
		Sensweiler	250	
		Wirschweiler	474	
		Im Kanton	9295	

Steuereinnehmer für die Bürgermeistereien 1 und 2 Herr Vollradt, für 3 Hr. Enprim, für 4 siehe Thalfang im Kanton Hermeskeil.

9) Kanton Wadern.

Nummer.	Bürger= meistereien.	Gemeinden.	Seelen= Zahl.	Namen der Bürgermeister.
1	Neunkirchen ·	Crettenich	200	
		Dorff	61	
		Eyweiler	173	
		Gonnesweiler	280	
		Mettnich	417	Schneider
		Mühlfeld	180	
		Neunkirchen	120	
		Sellbach	157	
		Sitzerath	328	
		Ueberoth	68	
2	Wadern · · ·	Barenbach	152	
		Büschfeld	221	Müller
		Biehl	140	

Nummer.	Bürger-meistereien.	Gemeinden.	Seelen-Zahl.	Namen der Bürgermeister.
				H. H.
2	Wadern	Gehweiler	183	
		Lockweiler	397	
		Untermorschholz	193	
		Obermorschholz	144	
		Noswendel	307	Müller
		Oberlöstern	242	
		Wadern	820	
		Wadrill	463	*
		Wedern	157	
3	Weyerweiler	Eonfeld	257	
		Michelbach	152	
		Mittlosheim	188	
		Nunkirchen	582	
		Oberthailen	134	v. Zandt
		Rappweiler	430	
		Steinberg	235	
		Unterthailen	62	
		Weißkirchen	509	
		Weyerweiler	136	
		Im Kanton	8084	

Steuereinnehmer für die Bürgermeisterei 1 siehe Achtelsbach im Kanton Birkenfeld, für 2 und 3 Hr. Klauk.

Uberſicht des Kreiſes Birkenfeld.

Kantone.	Anzahl der Bürgermeiſtereien.	Anzahl der Gemeinden.	Seelenzahl.
Baumholder . .	5	34	7996
Birkenfeld . .	4	37	7238
Cuſel	5	42	11288
Grumbach . .	4	32	7089
Hermeskeil . .	5	39	12239
Herrſtein . . .	4	38	9561
Meiſenheim . .	4	21	9483
Rhaunen . . .	4	36	9295
Wadern . . .	3	32	8084
Hauptſumme .	38	311	82273

VII. Kreis Ottweiler.

1) Kanton Blieskastel.

Nummer.	Bürger-meistereien.	Gemeinden.	Seelen-Zahl.	Namen der Bürgermeister.
				H. H.
		Alsvach	322	
		Balweiler	314	
		Biesingen	234	
		Birnbach	551	
		Blieskastel	1585	
1	Blieskastel . .	Blickweiler	376	Hoffmann
		Lauzkirchen	383	
		Niederwurzbach u. Selbach	376	
		Werschweiler	175	
		Wolfersheim	259	
		Bliesmengen und Bolchen	607	
		Habkirchen	312	
2	Blesmengen . .	Ormesheim	626	Müller
		Wittersheim	325	
		Bebelsheim und Busheim	504	
		Asweiler	84	
		Escheringen	200	
3	Ensheim . . .	Ensheim	830	Breunig
		Heckendalheim	88	
		Omersheim	79b	

Nummer.	Bürger- meistereien.	Gemeinden.	Seelen- Zahl.	Namen der Bürgermeister.
				H. H.
4	Herbitzheim . .	Erfweiler u. Eh- lingen	591	Koch
		Gersheim	560	
		Herbitzheim	348	
		Reinheim	507	
		Rubenheim	340	
5	St. Ingbert .	Hassel	370	Groß
		Oberwirzbach	250	
		Rohrbach	475	
		St. Ingbert	1905	
		Im Kanton	14283	

Steuereinnehmer für die Bürgermeistereien 1 und 4 Herr Gerlach, für 2 und 3 Hr. Wagner, für 5 siehe Neunkirchen im
Kanton Ottweiler.

2) Kanton Lebach.

Nummer.	Bürger- meistereien.	Gemeinden.	Seelen- Zahl.	Namen der Bürgermeister.
1	Dirmingen . .	Berschweiler	234	Bartels
		Dirmingen	659	
		Hirscheid	81	
		Humes	160	
		Wiesbach	383	
2	Heusweiler . .	Bietschied	55	Wahlster
		Berschweiler	108	
		Dilsburg	77	
		Eiweiler	175	
		Heusweiler	160	
		Holz	215	
		Hellenhausen	87	
		Hirtel	56	
		Hilsbach	40	
		Herchenbach	60	
		Kuzhof	33	

Nummer.	Bürger-meistereien.	Gemeinden.	Seelen-Zahl.	Namen der Bürgermeister.
				H. H.
2	Heusweiler . .	Kirschhof	62	
		Kurhof	33	
		Lummerschied	73	
		Niedersalbach	53	
		Numborn	58	
		Obersalbach	54	Wahlster
		Rittershofen	30	
		Ueberhofen	65	
		Walschied	92	
		Walpershofen	50	
3	Huttersdorf . .	Duppenweiler	842	
		Huttersdorf und Bupperich	419	Thiel
4	Lebach . . .	Eidenborn	95	
		Falschied	128	
		Hahn	31	
		Jabach	45	
		Knorschied	85	Reusch
		Lansweiler	155	
		Lebach	419	
		Niedersaubach	168	
		Primsweiler	96	
		Rummelbach	79	
5	Nalbach . . .	Bilsdorff	160	
		Korperich	160	
		Nalbach	506	
		Piesbach u. Bett-stadt	237	Schneider
		Tiefeln	337	
		Labach	201	

Nummer.	Bürger-meistereien.	Gemeinden.	Seelen-Zahl.	Namen der Bürgermeister.
				H. H.
6	Saarwellingen .	Reißweiler	201	Dennemar-ker
		Saarwellingen	1085	
		Schwarzenholz	113	
		Im Kanton	8715	

Steuereinnehmer für die Bürgermeisterei 1 Herr Steiner, für 2 Hr. Jungmann, für 3 und 4 Hr. Franz (provisorisch), für 5 und 6 Hr. Siegler.

3) Kanton Ottweiler.

1	Neunkirchen .	Friedrichsthal	387	Couturier
		Neunkirchen	1540	
		Spiesen	499	
		Wellesweiler	472	
2	Ottweiler ..	Hangard	201	Leydorff
		Niederlinnweiler	419	
		Ottweiler	2429	
		Wiebelskirchen	656	
3	Stennweiler .	Landsweiler	187	Schultz
		Stennweiler	336	
		Schiffweiler	598	
		Welschbach	188	
4	Uchtelfangen .	Hüttigweiler und Rasweiler	284	Schneider
		Illingen u. Genn-weiler	538	
		Merchweiler	449	
		Uchtelfangen	490	
		Wemmetsweiler	309	
		Wustweiler	359	

Nummer.	Bürger-meistereien.	Gemeinden.	Seelen-Zahl.	Namen der Bürgermeister.
				H. H.
5	Urerweiler	Hirzweiler	143	Brehm
		Mainzweiler	372	
		Remmesweiler	397	
		Urerweiler	711	
6	Werschweiler	Dörrenbach	188	Linxweiler
		Fürth	414	
		Laufenbach	290	
		Münchwies	223	
		Steinbach	301	
		Wethshausen	21	
		Werschweiler	154	
		Im Kanton	**13555**	

Steuereinnehmer für die Bürgermeisterei 1 nebst 5 im Kanton Blieskastel Herr Wirth, für 2 Hr. Zimmer, für 3 und 5 Hr. Reedenwald, für 4 nebst 1 vom Kanton Lebach Hr. Steimer, für 6 nebst 1 im Kanton St. Wendel Hr. Hartenstein.

4) Kanton St. Wendel.

1	Niederkirchen	Bubach	135	Schneider
		Hof	218	
		Leitersweiler	204	
		Marth	106	
		Niederkirchen	206	
		Osterbrücken	140	
		Saal	136	
2	Oberkirchen	Grügelborn	208	Becker
		Haupertsweiler	233	
		Oberkirchen	644	
		Rosberg	112	
		Reidschied	112	

Nummer.	Bürgermeistereien.	Gemeinden.	Seelen-Zahl.	Namen der Bürgermeister.
				H. H.
3	St. Wendel . .	Alsfassen und Breiten	428	Cetto
		Oberlinnweiler	528	
		St. Wendel	1715	
		Urweiler	377	
4	Tholey . . .	Hasborn	210	Braß
		Imsbach	220	
		Tautweiler	160	
		Tholey	344	
5	Walhausen . .	Urweiler	142	Escherich
		Baltesweiler	194	
		Eizweiler	132	
		Eisweiler	32	
		Furschweiler und Born	204	
		Gehweiler	116	
		Heisterberg	43	
		Hirstein	150	
		Hohfeld u. Mansbach	180	
		Pinsweiler	37	
		Reihweiler und Mosberg	120	
		Steinberg und Deckenhart	226	
		Walhausen und Schwarzhof	270	

Im Kanton 8280

Steuereinnehmer für die Bürgermeisterei 1, siehe den Kanton Ottweiler; für 2 und 5 Hr. Winsweiler, für 3 und 4 Hr. Sand.

5) Kanton Tholey.

Nummer.	Bürgermeistereien.	Gemeinden.	Seelen-Zahl.	Namen der Bürgermeister.
				H. H.
		Bliesen	360	
		Elmeren	100	
		Gronig	300	
		Guidesweiler	250	
1	Bliesen . . .	Immweiler	240	Biegel
		Linden	102	
		Niederhofen	203	
		Oberthal und Offenbach	270	
		Aschbach	140	
		Bubach	210	
		Calmesweiler	175	
		Dersdorf	120	
2	Eppelborn . .	Eppelborn	350	Spaniol
		Habach	60	
		Macherbach	52	
		Schellenbach	80	
		Steinbach	250	
		Thalenweiler	163	
		Aussen	730	
		Bettingen	390	
		Golbach	75	
		Gresaubach	395	
3	Limbach . . .	Limbach	380	Biehl
		Linscheid	81	
		Neipel	90	
		Niederhofen	60	
		Scheuren	117	

Numer.	Bürgermeistereien.	Gemeinden.	Seelen-Zahl.	Namen der Bürgermeister.
				H. H.
		Alzweiler	375	
		Bergweiler	180	
		Entscheid	92	
4	Tholey . . .	Marpinger	605	Scheier
		Namborn	340	
		Sozweiler	330	
		Tholey	612	
		Winterbach	230	
		Im Kanton	8507	

Steuereinnehmer für die Bürgermeistereien 1 und 4 Hr. Straud, für 2 und 3 Hr. Hank.

6) Kanton Waldmohr.

Numer.	Bürgermeistereien.	Gemeinden.	Seelen-Zahl.	Namen der Bürgermeister.
		Altstadt	237	
		Kirkel u. Neuhäu-sel	412	
1	Limbach . . .	Limbach	434	Baus
		Mittelbexbach	522	
		Niederbexbach	307	
		Oberbexbach	343	
		Dietschweiler	279	
		Hasbach	142	
2	Münchweiler .	Münchweiler	500	Keller
		Nanzweiler	210	
		Steinbach	355	
		Elschbach	110	
3	Obermisau . .	Gries	295	Schuler
		Niedermisau	336	
		Obermisau	265	

Nummer.	Bürgermeistereien.	Gemeinden.	Seelen-Zahl.	Namen der Bürgermeister.
				H. H.
4	Schöneberg ..	Brücken	661	Schuler
		Börsborn	326	
		Kubelberg	347	
		Sand	221	
		Schmittweiler	221	
		Schöneberg	404	
5	Waldmoor ..	Altenkirchen	320	Guttenberger
		Breitenbach	520	
		Dundweiler	290	
		Dietweiler	230	
		Frohnhofen	170	
		Hoegen	160	
		Jägersburg	724	
		Kleinottweiler	100	
		Waldmoor	686	
		Im Kanton	10177	

Steuereinnehmer für die Bürgermeisterei 1 Hr. Braun, für 2, 3 und 4 Hr. Schuler, für 5 Hr. Forberg.

Uebersicht des Kreises Ottweiler.

Kantone.	Anzahl der Bürgermeistereien.	Anzahl der Gemeinden.	Seelen-Zahl.
Blieskastel . .	5	33	14283
Lebach . . .	6	49	8715
Ottweiler . .	6	31	13555
St. Wendel. .	5	39	8280
Tholey . . .	4	36	8507
Waldmoor . .	5	31	10177
Hauptsummen .	31	219	63517

VIII. Kreis Simmern.

1) Kanton Bacharach.

Nummer.	Bürgermeistereien.	Gemeinden.	Seelen-Zahl.	Namen der Bürgermeister.
				H. H.
1	Bacharach	Bacharach	1202	
		Mannebach	438	Wagner.
		Oberbiebach	652	
		Steeg	642	
2	Niederheimbach	Nieberheimbach	584	
		Oberheimbach	622	May.
		Trechtingshausen	528	
3	Oberwesel	Oberwesel	2390	Liebering.
4	Wiebelsheim	Damschied	360	
		Dellhoffen	184	
		Langschied	206	Hoerter.
		Liepshausen	251	
		Perschied	296	
		Wiebelsheim	336	

Im Kanton 8691

Steuereinnehmer für die Bürgermeisterei 1, nebst 4 im Kanton Simmern, Hr. Remy; für 2 Hr. Schmidt, für 3 und 4 Hr. Schlosser.

2) **Kanton Castellaun.**

Nummer.	Bürgermeistereien.	Gemeinden.	Seelen: Zahl.	Namen der Bürgermeister.
				H. H.
		Alterkülz	291	
		Bell	419	
		Buch	560	
		Castellaun	830	
		Crastel	204	
		Hasselbach	180	
1	Castellaun . .	Hasserich	205	Hagemann
		Hundheim	103	
		Leideneck	208	
		Michelbach	158	
		Merz	119	
		Spessenroth	129	
		Völkenroth	136	
		Woneroth	211	
		Beltheim	457	
		Braunshorn	159	
		Corweiler	111	
		Dorweiler	125	
		Dudenroth	111	
		Ebscheid	136	
		Frankweiler	192	
2	Gödenroth . .	Gödenroth	351	Storck
		Heyweiler	176	
		Hollnich	141	
		Mannebach	62	
		Mörsdorff	578	
		Roth	202	
		Sevenich	210	
		Sabershausen	198	
		Uhler	270	
		Im Kanton	7342	

Steuereinnehmer für den ganzen Kanton, Hr. Görres.

3) Kanton Creuznach.

Nummer.	Bürgermeistereien.	Gemeinden.	Seelen= Zahl.	Namen der Bürgermeister.
				H. H.
1	Creuznach . .	Creuznach	6593	Trautwein (provisorisch)
2	Hüffelsheim . .	Hüffelsheim	560	
		Münster	250	
		Niederhausen	312	Bettinger
		Norheim	413	
		Traihen	228	
		Weinsheim	581	
3	Langenlonsheim	Brezenheim	728	
		Hebbesheim	816	
		Langenlonsheim	944	Kohlmann
		Laubenheim	379	
		Winzenheim	505	
4	Mandel . . .	Braunweiler	317	
		Gulenberg	302	
		Hargesheim	212	Vogt
		Mandel	565	
		Norheim	557	
		Rüdesheim	204	
		Im Kanton	**14466**	

Steuereinnehmer für die Bürgermeisterei 1 Hr. Rupper, für die Gemeindeeinnahme allda Hr. Schnabel; für 2 und 4 Hr. Mannheim, für 3 Hr. Rech.

4) Kanton Kirchberg.

Nummer.	Bürgermeistereien.	Gemeinden.	Seelen-Zahl.	Namen der Bürgermeister.
				H. H.
1	Dill	Dill	265	Storck
		Dillendorf	186	
		Hecken	144	
		Lindenschied	233	
		Maizborn	123	
		Sohrscheid	170	
		Womrath	332	
2	Gemünden . .	Dickenschied	360	Kellermann
		Gehweiler	320	
		Gemünden	832	
		Hausen	155	
		Hönau	273	
		Panzweiler	40	
		Schlierschied	180	
		Rohrbach	190	
		Woppenroth	180	
3	Kirchberg . .	Denzen	270	Koch
		Kirchberg	1304	
		Oppertshausen	70	
		Rödern	132	
		Schönborn	189	
4	Niederkostentz .	Cappel	472	Metenthal
		Cludenbach	112	
		Maitzenhausen	134	
		Niederkostentz	174	
		Oberkostentz	288	
		Reckershausen	306	
		Schwarzen	111	
		Tobenroth	58	
		Würrich	177	

Nummer.	Bürgermeistereien.	Gemeinden.	Seelen-Zahl.	Namen der Bürgermeister.
				H. H.
		Altlay	538	
		Bärenbach	295	
		Belg	220	
		Büchen	244	
5	Sohren . . .	Laufersweiler	567	Mohr
		Lauzenhausen	226	
		Niedersohren	173	
		Niederweiller	254	
		Sohren	674	
		Wahlenau	145	
		Im Kanton	11106	

Steuereinnehmer für die Bürgermeistereien 1 und 5 Hr. Schüller, für 2 Hr. Knebel (provisorisch), für 3 Hr. Kuhn, für 4 Hr. Braun.

5) Kanton Kirn.

Nummer.	Bürgermeistereien.	Gemeinden.	Seelen-Zahl.	Namen der Bürgermeister.
		Bruschied	274	
		Callenfels	70	
		Dhaun	147	
		Hahnenbach	165	
		Heinzenberg	66	
1	Kirn . . .	Hennweiler	563	Cadenbach
		Hochstädten	210	
		Kellenbach	266	
		Kirn	1486	
		Königsau	93	
		Oberhausen	312	
		Schweppenhausen	218	
		Im Kanton	3870	

Steuereinnehmer für den ganzen Kanton Hr. Schmitt.

6) Kanton St. Goar.

Nummer.	Bürgermeistereien.	Gemeinden.	Seelen: Zahl.	Namen der Bürgermeister.
				H. H.
		Carbach	297	
		Doerth	185	
		Hausbay	114	
		Hungenroth	91	
		Laudbert	335	
		Leiningen	315	
1	Pfalzfeld . . .	Lingerhan	228	Jung
		Maisborn	97	
		Mühlpfad	73	
		Niebert	99	
		Norath	202	
		Pfalzfeld	177	
		Thörlingen	106	
		Badenhard	142	
		Biebernheim	332	
		Birckheim	105	
		Holzfeld	199	
2	St. Goar . .	Niederburg	288	Denys
		St. Goar	1089	
		Urbar	189	
		Utzenhain	150	
		Werlau	623	
		Im Kanton	5436	

Steuereinnehmer für den ganzen Kanton Hr. Descombes.

7) Kanton Simmern.

1	Argenthal . .	Argenthal	726	Clotten
		Riesweiler	421	
		Schnorrbach	187	

Nummer.	Bürgermeistereien.	Gemeinden.	Seelen-Zahl.	Namen der Bürgermeister.
				H. H.
2	Laubach	Bubach	237	Weckmann
		Budenbach	145	
		Kloschumb	236	
		Horn	355	
		Riffelbach	448	
		Laubach	420	
		Riegenroth	179	
		Steinbach	155	
3	Ohlweiler	Belgweiler	165	Ernst
		Mengerschied	564	
		Ohlweiler	225	
		Ravengiersburg	241	
		Sargenroth	362	
		Tiefenbach	353	
4	Rheinböllen	Ellern	447	Mades
		Erbach	197	
		Dichselbach	355	
		Moerschbach	232	
		Kleinweidelbach	72	
		Rheinböllen	866	
5	Simmern	Altweidelbach	160	Rottmann (provisorisch)
		Benzweiler	164	
		Bergenhausen	163	
		Sülz u. Eichsülz	270	
		Holzbach	336	
		Kaibelheim	114	
		Mutterschied	320	
		Neuerkirch	200	
		Niederchumb	150	
		Tleitzenhausen	170	
		Raverschied	115	
		Simmern	2200	
		Wahlbach	205	

Nummer.	Bürgermeistereien.	Gemeinden.	Seelen-Zahl.	Namen der Bürgermeister.
				H. H.
		Biebern	284	
		Fronhoffen	175	
		Heinzenbach	266	
6	Monzingen . .	Nannhausen	118	Weygold
		Nickweiler	99	
		Reich	210	
		Unzenberg	216	
		Wüschheim	320	

Im Kanton 23842

Steuereinnehmer für die Bürgermeistereien 1 und 6 Hr. Deuster, für 2 Hr. Wenzel, für 3 Hr. Schmidt, für 4 (siehe den Kanton Bacharach), für 5 Hr. Zipp.

8) Kanton Sobernheim.

Nummer.	Bürgermeistereien.	Gemeinden.	Seelen-Zahl.	Namen der Bürgermeister.
		Auen	178	
		Brauweiler	92	
		Horbach	62	
		Langenthal	97	
		Martinstein	132	
		Monzingen	962	
1	Monzingen . .	Nußbaum	274	Konsers-werth
		Seesbach	367	
		Simmern unter Dhaun	396	
		Schwarzerden	246	
		Weiler	567	
		Weitersborn	157	
		Bockenau	567	
		Boos	278	
		Oberstreit	149	
2	Sobernheim .	Sobernheim	1914	Thesmar
		Sponheim	520	
		Thalböckelheim	254	
		Waldböckelheim	978	

Nummer.	Bürgermeistereien.	Gemeinden.	Seelen-Zahl	Namen der Bürgermeister.
				H. H.
		Burgsponheim	203	
		Daubach	149	
		Eckweiler	400	
		Gebroth	211	
3	Winterburg . .	Ippenschied	165	Jaeger
		Pferdsfeld	600	
		Rehbach	171	
		Winterbach	252	
		Winterburg	302	
		Im Kanton	10642	

Steuereinnehmer für die Bürgermeisterei 1 Hr. Bechtel, für 2 Hr. Doinet, für 3 Hr. Jung.

9) Kanton Stromberg.

Nummer.	Bürgermeistereien.	Gemeinden.	Seelen-Zahl	Namen der Bürgermeister.
		Darweiler	478	
		Dörrenbach	598	
		Eckenroth	152	
		Roth	119	
1	Stromberg . .	Seibersbach	740	Hoffeus
		Schöneberg	416	
		Stromberg	810	
		Walderbach	52	
		Warmeroth	152	
		Dorsheim	219	
		Genheim	229	
		Münster	340	
2	Walbalgesheim,	Rümmelsheim	453	Bartholemy
		Sarmsheim	271	
		Walbalgesheim	660	
		Weiler	622	

Nummer.	Bürgermeistereien.	Gemeinden.	Seelen-Zahl.	Namen der Bürgermeister.
				H. H.
3	Wallhausen . .	Allenfeld	177	
		Archenschwang	326	
		Dahlberg ..	199	
		Münchwald	101	Brunn
		Sommerloch	175	
		Spall	157	
		Spabrücken	594	
		Wallhausen	821	
4	Winnesheim . .	Hergenfeld	251	
		Schweppenhausen	475	
		Waldhilbersheim	523	Dheil
		Waldlaubersheim	562	
		Winnesheim	678	
		Im Kanton	11350	

Steuereinnehmer für die Bürgermeisterei 1 Hr. Schiel, für 2 Hr. Dötsch, für 3 Hr. Kiefer, für 4 Hr. Mühlfelder.

10) Kanton Trarbach.

Nummer.	Bürgermeistereien.	Gemeinden.	Seelen-Zahl.	Namen der Bürgermeister.
1	Enkirch . . .	Burg	304	
		Enkirch	1632	Fier
		Pünderich	514	
2	Trarbach . . .	Beuren	300	
		Hahn	203	
		Hirschfeld	239	
		Irmenach	391	
		Lötzbeuren	434	Molz
		Raversbeuren	253	
		Starkenburg	215	
		Trarbach	1078	
		Im Kanton	5563	

Steuereinnehmer für die Bürgermeisterei 1 Hr. Wirth, für 2 Hr. Lenz.

Uebersicht des Kreises Simmern.

Kantone.	Anzahl der Bürgermeistereien.	Anzahl der Gemeinden	Seelen-Zahl.
Bacharach . .	4	14	8691
Castellaun . .	2	30	7342
Creuznach . .	4	18	14466
Kirchberg . . .	5	40	11106
Kirn	1	12	3870
St. Goar . .	2	22	5436
Simmern . .	6	45	13842
Sobernheim . .	3.	28	10642
Stromberg . .	4	29	11350
Trarbach . . .	2	11	5563
Hauptsumme .	33	249	92308

IX. Kreis Koblenz.

1) Kanton Boppard.

Nummer.	Bürgermeistereien.	Gemeinden.	Seelen-Zahl.	Namen der Bürgermeister.
				H. H.
1	Boppard . . .	Boppard	3247	
		Hirzenach	498	Doll
		Salzig	683	
		Weiler	279	
2	Halsenbach . .	Basselscheid	80	
		Buchholz	250	
		Buckenbach	246	
		Halsenbach	256	Bergmann
		Herschwiesen	150	
		Kratzenburg	100	
		Ney	150	
3	Niederfell . .	Alken	348	
		Dieblich	758	
		Lay	490	
		Moselweis	478	Kaisers-
		Niederfell	523	werth
		Nörtershausen	143	
		Oberfell	544	
		Oppenhausen	183	

14

Nummer.	Bürgermeistereien.	Gemeinden.	Seelen-Zahl.	Namen der Bürgermeister.
				H. H.
4	Rhens	Brey	291	
		Capellen	306	
		Niederspay	265	
		Oberspay	565	Iser
		Rhenz	1208	
		Ubenhausen	112	
		Waldesch	430	
		Im Kanton	12383	

Steuereinnehmer für die Bürgermeisterei 1 Hr. Lorenzi, für 2 Hr. Müller, für 3 Hr. Haas, für 4 Hr. Weiskirch.

2) Kanton Treis.

Nummer.	Bürgermeistereien.	Gemeinden.	Seelen-Zahl.	Namen der Bürgermeister.
1	Beulich	Beulich	413	
		Liesenfeld	269	
		Mermuth	162	
		Niedergonders-hausen	360	Hammes
		Obergonders-hausen	256	
2	Burgen	Burgen	701	
		Brodenbach	327	
		Dommershausen	351	Kaisers-werth
		Ebershausen	119	
		Macken	276	
		Morshausen	264	
3	Treis	Lahr	162	
		Lieg	335	
		Luß	257	Reis
		Treis	1057	
		Zilshausen	292	
		Im Kanton	5601	

Steuereinnehmer für die Bürgermeistereien 1 und 2 Hr. Gorres, für 3 Hr. Schauf.

3) Kanton Zell.

Nummer.	Bürgermeistereien.	Gemeinden.	Seelen-Zahl.	Namen der Bürgermeister.
				H. H.
1	Beilstein . . .	Beilstein	272	
		Briedem	235	
		Brattig	416	
		Cons	260	
		Fankel	291	(unbesetzt)
		Grenderich	440	
		Mesenich	322	
		Senheim	780	
		Mittel-Strimmig	1133	
		Valwig	270	
2	Blankenrath .	Blankenrath	321	
		Heßweiler	139	
		Löffelscheid	287	
		Mastershausen	541	
		Panzweiler	146	
		Peterswald	502	Best
		Raidenhausen	175	
		Nödelhausen	165	
		Schauren u. Wal-hausen	288	
		Sosberg	183	
		Tellig	133	
3	Zell	Briebel	779	
		Bullay	199	
		Merl	772	Adams
		Neef	268	
		Zell	1271	
		Im Kanton	10588	

Steuereinnehmer für die Bürgermeisterei 1 Hr. Richard, für 2 Hr. Besboyen, für 3 Hr. Maas.

Uebersicht des Kreises Koblenz.

Kantone.	Anzahl der Bürgermeistereien.	Anzahl der Gemeinden.	Seelen-Zahl.
Bopparb . . .	4	26	12383
Treis	3	16	5601
Zell	3	27	10588
Hauptsumme .	10	69	28572

Allgemeine Uebersicht

der Kreise des Landesbezirks in Hinsicht der Territorial-Eintheilung und Bevölkerung.

Kreise.	Anzahl der Bürgermeistereien.	Anzahl der Gemeinden.	Seelen-Zahl.
1 Alzey . . .	108	180	110783
2 Speyer . .	139	189	159962
3 Kaiserslautern	51	181	68267
4 Zweybrücken .	74	216	92317
5 Trier . . .	36	199	73194
6 Birkenfeld .	38	311	82273
7 Ottweiler . .	31	219	63517
8 Simmern . .	33	249	92308
9 Koblenz . .	10	69	28572
Hauptsumme .	520	1813	771193

Anhang.

Stadt und Gebiet von Mainz.

K. k. österreichische und k. preussische gemeinschaftliche Administration.

Herr Herrmann Freiherr von Heß, Sr. k. k. Maj. von Oesterreich wirklicher geheimer Rath, oberster Landrichter im Markgrafthum Mähren, Präsident der Mährisch-Schlesischen Landrechte und der vereinigten k. k. österreichischen u. k. baierischen Landesadministrations-Kommission zu Kreuznach, Hofkommissär.

Subdelegirter Kommissär: der k. k. österreichische Kreiskommissär Herr Franz Winkler.

Herr von Marquartt, königl. preussischer geheimer Kriegsrath, Ritter des eisernen Kreuzes und des k. russischen St. Annen-Ordens.

Administrations-Bureau.

Kanzleydirektor: der k. k. österreichische Konzepts-Praktikant, Herr Joseph von Bernberg.

Sekretär: Herr Franz Görz.

Präsidial-Bureau

des Herrn geheimen Raths, Frhrn. v. Heß Exc.

Präsidial-Sekretär: Hr. Heinrich Amann.

Kreisstellen.

Kreisdirektor: Hr. Edmund Freiherr von Jungenfeld.
Polizeidirektor: Hr. J. B. Heinrich.
Kreiseinnehmer: Hr. Aloys Becker.
Einnehmer der Domänen: Hr. Retzer.
Einnehmer der Registrirung: Hr. Noiret.
Hypothekenbewahrer (zugleich für den Kreis Alzey): Hr. Reichard.

A. Stadt Mainz.
(Bevölkerung 23/224 Seelen.)

Verwaltungs- und Finanzstellen.

Oberbürgermeister: Hr. von Jungenfeld.
Beigeordnete: H.H. Mayer und Probst.
Sekretär: Hr. Michael Müller.
Stadträthe: die H.H. Amtmann, Bögner, Bollermann, Dahm, Herrgen, Hänlein, Hämmerlein, Kertell, Krätzer (Jakob), Kaiser, Kramer, Lauteren, Lennig (Adam), Leidig, Liebler, Mappes, Melleta, Merkel, Metternich (Anton), Memminger (Vater), Neuß (Vater), Neuß (Sohn), Pauli, Peister, Schmuttermayer, Schreck, Schwab, Striegler, Willems.

Polizeikommissäre: H.H. Creve und Oehl.
Einnehmer: Hr. Schilling.
Stadtärzte: H.H. Burkard, Dilenius, Jhstein, Renard, Westhofen und Wittmann.
Stadtwundärzte: H.H. Frederking und Pizzala.
Stadtbaumeister: Hr. Wetter.

Städtisches Oktroi.

Hauptkontrolleur: Hr. Klauprecht.

Rheinhafen.

Hafeninspektor: Hr. Warburg.
Einnehmer der Krahnen- und Hafengebühren: Hr. Dibelius.
Krahnenschreiber: H.H. Friedel, Vanselow.

Mehlniederlage.

Einnehmer: Hr. Kiffel.

Oeffentliche Anstalten.

Bürgerliche Hospitäler.

Verwaltungskommission.

Präsident: Hr. Merkel. Mitglieder: H. H. Colmar, Memminger, Reuß, Ronweiler, Schwab. Sekretär: Hr. Sauckel. Arzt: Hr. Renard. Einnehmer: Hr. Ritz.

Wohlthätigkeits-Büreau.

Verwaltungskommission.

Präsident: Frhr. von Jungenfeld. Mitglieder: H. H. Colmar, Dotzheimer, Hämmerlein, Jöth, Kalt, Klemm, Lennig, Nohaschek, Schilling, Trombetta, Wernher, Wittmann. Sekretär: Hr. Mentges. Einnehmer: Hr. Klauprecht.

Vakzinations-Ausschuß.

Präsident: Hr. von Jungenfeld. Mitglieder: H. H. Butenschoen, Klemm, Krätzer, Metternich, Ronweiler, Renard, Wittmann.

Entbindungs-Anstalt.

Direktor: Hr. Weidmann.
Professor-Substitut: Hr. Leibig.

Oeffentlicher Unterricht.

Medizinische Spezialschule.

Dekan: Hr. Anton Metternich.
Professoren: H. H. Leibig, Megele, Metternich, Molitor, Weidmann.
Lesende Doktoren: H. H. Dilenius, Renard, Wittmann.
Prosektor: Hr. Kraus.

Städtisches Gymnasium.

Provisorische Direktion: die beiden Inspektoren des öffentlichen Unterrichts.
Professoren: H. H. Bauer, Brühl, Klein, Schmitt, Weitzel.
Religionslehrer: H. H. Klemm, Ronweiler.
Lehrer der Zeichenkunst: Hr. Nikolaus Müller.

Bischöfliches Seminarim.

Superior: Hr. Liebermann.

Professoren in den obern Klassen: H. H. Kalt, Kiefer, Kronenberger, Liebermann, Starf; in den untern Klassen: H. H. Greipp, Weis, Ziegler.

Verwaltung der Universitätsgefälle.

Präsident: Hr. Wernher.
Mitglieder: H.H. Amtmann, Butenschoen, Leidig, Metternich.
Einnehmer: Hr. Renard (Vater).

Verwaltung der Einkünfte des Gymnasiums und der kleinen Schulen.

Präsident: Hr. Jung.
Mitglieder: H. H. Butenschoen, Neuß, Weißel.
Sekretär: Hr. Mentges.
Einnehmer: Hr. Klauprecht.

Gerichts- und Notariatsstellen.

Friedensrichter: H. H. Kretschmar, Molitor.
Gerichtsschreiber: H. H. Boost, Berninger.
Notäre: H.H. Billig, Gaßner, Kronebach, Molitor.

Erhebungsamt
der Rheinschiffahrtsgebühren.

Einnehmer: Hr. Anton Gergens.
Kontroleur: Hr. Johann Müller.
Beseher: H. H. Krämer, Peuchen, Wermerskirch.

Pfarrer.

Katholische. Kantonspfarrer: H. H. Dotzheimer, in der Domkirche; Höfling, zu St. Ignatz; Kalt, zu St. Emmeran. Sukkursalpfarrer: H.H. Hanrard, zu St. Peter; Klemm, zu St. Quintin; Trombetta, zu St. Christoph, und Webel, zu St. Stephan.

Protestantischer Pfarrer: Hr. Nonweiler.

Jüdisches Konsistorium
des Departements vom Donnersberg.

Oberrabiner: Hr. David Scheuer.

Mitglieder des Konsistoriums: H. H. Markus Reinach, Joseph Cassel.

Oeffentliche Sammlungen.

1. Die städtische Bibliothek. Damit sind vereinigt:
2. Das Münzkabinet;
3. Das Naturalienkabinet;
4. Die Sammlung physikalischer und mechanischer Instrumente;
5. Die Sammlung römischer Denkmäler.
   Bibliothekar und Vorsteher dieser Sammlungen ist Hr. Lehne.
6. Die Gemäldesammlung. Konservator derselben ist Hr. Nik. Müller.
7. Die Sammlung chirurgischer Instrumente in der Entbindungsanstalt.

B. Die Gemeinden Kastel und Kostheim.

(Die Bevölkerung von Kastel beträgt 1908 Seelen. Die von Kostheim 1024.)

Oberbürgermeister: Hr. Höflich.

Einnehmer: Hr. Weber.

Anhang

zur Statistik des Landesbezirks.

———— • ————

I.

Alphabetisches Verzeichniß

der Gemeinden.

————

Anmerkung.

Die in der vierten Kolonne enthaltenen Abkürzungen bedeuten die Namen der Kreise, nemlich:

A.	. . Alzey,		S.	. . Simmern,
B.	. . Birkenfeld,		Sp.	. . Speyer,
K.	. . Kaiserslautern,		T.	. . Trier,
Kz.	. . Koblenz,		Z.	. . Zweibrücken.
O.	. . Ottweiler,			

In den drei ersten Kolonnen bedeuten:

h. am Ende des Wortes: heim,		a. d. H.	. an der Haard,
b. . . . . bach,		a. d. L.	. an der Lauter,
a. B. . . . . am Berg,		a. d. Pf.	. an der Pfrimm,
a. Rh. . . . am Rhein,		a. d. Gl.	. an dem Glan,
a. d. E. . . . an der Eck,		u. Dh.	. . unter Dhaun.

Druckfehler.

Seite. Zeile.

108,	22,	lefe man:	Irmenach, Hr. Ph. Fried. Franz.
108,	23,	" "	Löhbeuren, (unbefeßt.)
137,	3,	" "	Großniedesheim, 414.
137,	4,	" "	Kleinniedesheim, 310.
143,	14,	" "	ftatt 1, 3 und 17: 1, 3, 4 und 17.
146,	1,	" "	Alfenborn, 662.
151,	—	" "	bei Dielkirchen, ftatt Nro. 1: 2, ftatt 2: 3 u. f. w.
151,	11,	" "	Stahlberg, 362.
151,	19,	" "	ftatt Loos: Soos.
160,	15,	" "	Mimbach, 1220.
160,	16,	" "	Im Kanton, 5633.
161,	6,	" "	Im Kanton, 4704.
161,	7,	" "	ftatt 1, 2, 3 und 5: 1, 3 und 5.
162,	19,	" "	Im Kanton, 19729.
162,	21,	" "	ftatt 3, 4 und 9: 3, 6 und 9.
165,	5,	" "	bei Medelsheim ftatt 16: 15.
165,	10,	" "	bei der Hauptfume ftatt 216: 215.
169,	17,	" "	Draisbach, 87.
175,	10,	" "	Eckersweiler, 180.
175,	13,	" "	Mellweiler, 156.
194,	19,	" "	ftatt Thalenweiler: Thalerweiler.
199,	15,	" "	Beltheim, 467.
199,	26,	" "	Mörsdorf, 678.
200,	6,	" "	ftatt Thraihen: Traifen.
200,	12,	" "	Winzenheim, 505.
200,	20,	" "	Hr. Ruppert.
204,	17,	" "	ftatt Dichfelbach: Dichtelbach.
210,	31,	" "	Hr. Görres.
211,	2 u. 3,	" "	ftatt Briedem, Brattig: Briedern, Bruttig.
213,	1,	" "	ftatt 180: 181.
213,	4,	" "	ftatt 216: 215.

Im Anhang für den Landesbezirk.

10,	2,	lefe man:	Dommershaufen.
15,	23,	" "	Göllheim, Göllheim, Göllheim.
15,	24,	" "	Gombach, Münchweiler, Winnweiler.

Gemeinde.	Burgermeisterei.	Kanton.	Kreis.
Abenheim	Abenheim	Bechtheim	A.
Abentheuer	Birkenfeld	Birkenfeld	B.
Abtweiler	Meisenheim	Meisenheim	B.
Achtelsbach	Achtelsbach	Birkenfeld	B.
Adenbach	Odenbach	Lauterecken	K.
Ail	Saarburg	Saarburg.	T.
Alban (St.)	Gerbach	Kirchheimboland	A.
Albersbach	Jettenheim	Wolfstein	K.
Albersweiler	Albersweiler	Annweiler	Z.
Albessen	Burglichtenberg	Cusel	B.
Albessen	Offenbach	Grumbach	B.
Albig	Albig	Alzey	A.
Albisheim	Albisheim	Kirchheimboland	A.
Albsheim	Albsheim	Grünstadt	Sp.
Algenrod	Oberstein	Herrstein	B.
Algesheim	Algesheim	Oberingelheim	A.
Alken	Niederfell	Boppard	Kz.
Allenbach	Wirschweiler	Rhaunen	B.
Allenfeld	Wallhausen	Stromberg	S.D.
Alsbach	Blieskastel	Blieskastel	D.
Alsenborn	Alsenborn	Kaiserslautern	K.
Alsenbrück	Winnweiler	Winnweiler	K.
Alsenz	Alsenz	Obermoschel	K.
Alsfassen	St. Wendel	St. Wendel	D.
Alsheim	Alsheim	Bechtheim	A.
Alsheim	Alsheim	Mutterstadt	Sp.
Alsterweiler	Maykammer	Edenkoben	Sp.
Alsweiler	Tholey	Tholey	D.
Altaltheim	Altaltheim	Medelsheim	Z.
Altdorf	Altdorf	Edenkoben	Sp.
Altenbamberg	Ebernburg	Obermoschel	K.
Altenglan	Ulmeth	Cusel	B.D.
Altenkirchen	Waldmohr	Waldmohr	D.S.
Alterkülz	Castellaun	Castellaun	S.
Althornbach	Rimschweiler	Neuhornbach	Z.
Altleiningen	Altleiningen	Grünstadt	Sp.
Altlay	Sohren	Kirchberg	S.

247

Gemeinde.	Burgermeisterei.	Kanton	Kreis.
Altripp	Altripp	Mutterstadt	Sp.
Altstadt	Limbach	Waldmohr	O.
Altweidelbach	Simmern	Simmern	S.
Alzey	Alzey	Alzey	A.
Andel	Mühlheim	Bernkastel	T.
Annweiler	Annweiler	Annweiler	3.
Appenheim	Appenheim	Oberingelheim	A.
Appenthal	Elmstein	Neustadt	Sp.
Argenschwang	Wallhausen	Stromberg	S.
Argenthal	Argenthal	Simmern	S.
Armsheim	Armsheim	Wörrstadt	A.
Artzheim	Artzheim	Annweiler	3.
Asbach	Hottenbach	Herrstein	B.
Aschbach	Hundheim	Lauterecken	K.
Aschbach	Eppelborn	Tholey	O.
Aspisheim	Aspisheim	Oberingelheim	A.
Asselheim	Asselheim	Grünstadt	Sp.
Assenheim	Hochdorf	Mutterstadt	Sp.
Asweiler	Walhausen	St. Wendel	O.
Asweiler	Ensheim	Blieskastel	O.
Auen	Monzingen	Sobernheim	S.
Aulenbach	Reichenbach	Baumholder	B.
Aussen	Limbach	Tholey	O.
Ausweiler	Reichenbach	Baumholder	B.
Baalborn	Möhlingen	Otterberg	K.
Bacharach	Bacharach	Bacharach	S.
Bachem	Hausbach	Merzig	T.
Badenhard	St. Goar	St. Goar	S.
Bidenheim	Badenheim	Wöllstein	A.
Baldringen	Zerff	Saarburg	T.
Baltesweiler	Walhausen	St. Wendel	O.
Baltweiler	Blieskastel	Blieskastel	O.
Bann	Landstuhl	Landstuhl	3.
Barbara St.	Trier	Trier	T.
Barenbach	Wadern	Wadern	B.
Bärenbach	Sohren	Kirchberg	S.
Bärenbach	Schmitthachenb.	Grumbach	B.

248

Gemeinde.	Burgermeisterei.	Kanton.	Kreis.
Bärenbach	Bärenbach	Dahn	3.
Bäsch	Thalfang	Hermeskeil	B.
Bäschweiler	Leisel	Birkenfeld	B.
Basselscheid	Halsenbach	Boppard	Kz.
Battenberg	Bobenheim a. B.	Grünstadt	S.
Battweiler	Winterbach	Zweybrücken	3.
Baumholder	Baumholder	Baumholder	B.
Bayerfeld	Dielkirchen	Rockenhausen	K.
Bebelsheim	Bliesmengen	Blieskastel	O.
Bechenheim	Niederwiesen	Alzey	A.
Becherbach	Becherbach	Lauterecken	K.
Becherbach	Schmidthachenb.	Grumbach	B.
Bechhofen	Homburg	Homburg	3.
Bechtheim	Bechtheim	Bechtheim	A.
Bechtolsheim	Bechtolsheim	Wörrstadt	A.
Bedesbach	Horschbach	Wolfstein	K.
Beeden	Homburg	Homburg	3.
Beerweiler	Merrheim	Meisenheim	B.
Beilstein	Beilstein	Zell	Kz.
Beindersheim	Heuchelheim	Frankenthal	Sp
Belg	Sohren	Kirchberg	S.
Belgweiler	Ohlweiler	Simmern	S.
Bell	Castellaun	Castellaun	S.
Bellenborn	Birkenhördt	Annweiler	3.
Beltheim	Goedenroth	Castellaun	S.
Bennhausen	Dannenfels	Kirchheimboland	A.
Benzweiler	Simmern	Simmern	S.
Bergen	Fischbach	Herrstein	B.
Bergen	Losheim	Merzig	T.
Bergenhausen	Simmern	Simmern	S.
Berghausen	Mechtersheim	Speyer	Sp.
Berglangenbach	Berschweiler	Baumholder	B.
Berglicht	Talling	Neumagen	T.
Bergweiler	Tholey	Tholey	O.
Bermersheim	Bermersheim	Pfeddersheim	Sp.
Bermersheim	Albig	Alzey	A.
Bernkastel	Bernkastel	Bernkastel	T.
Berschweiler	Berschweiler	Baumholder	B.

Gemeinde.	Burgermeisterei.	Kanton.	Kreis.
Berschweiler	Dirmingen	Lebach	O.
Berschweiler	Fischbach	Herrstein	B.
Berschweiler	Heusweiler	Lebach	O.
Berzweiler	Hefersweiler	Wolfstein	K.
Beich	Borg	Saarburg	L.
Bescheid	Beuren	Neumagen	L.
Besseringen	Besseringen	Merzig	L.
Bettenhausen	Obermohr	Landstuhl	Z.
Bettingen	Limbach	Tholey	O.
Bettingen	Orscholz	Merzig	L.
Bettstadt	Nalbach	Lebach	O.
Beulich	Beulich	Treis	K.
Beuren	Beuren	Neumagen	L.
Beuren	Trarbach	Trarbach	S.
Beuren	Sinz	Saarburg	L.
Beurich	Irsch	Saarburg	L.
Bickenbach	Halsenbach	Boppard	K.
Biebelhausen	Saarburg	Saarburg	L.
Biebelnheim	Bechtolsheim	Wörrstadt	A.
Biebelsheim	Biebelsheim	Wöllstein	A.
Biebern	Unzenberg	Simmern	S.
Biebernheim	St. Goar	St. Goar	S.
Biedershausen	Großbundenbach	Homburg	Z.
Biehl	Wadern	Wadern	B.
Bierfeld	Hermeskeil	Hermeskeil	B.
Biernbach	Blieskastel	Blieskastel	O.
Biesingen	Blieskastel	Blieskastel	O.
Bietschied	Heusweiler	Lebach	O.
Bietzen	Bietzen	Merzig	L.
Bilsdorf	Nalbach	Lebach	O.
Bindersbach	Annweiler	Annweiler	Z.
Bingart	Feil	Obermoschel	K.
Bingen	Bingen	Bingen	A.
Birkenfeld	Birkenfeld	Birkenfeld	B.
Birkenhördt	Birkenhördt	Annweiler	Z.
Birkheim	St. Goar	St. Goar	S.
Birkweiler	Siebeldingen	Annweiler	Z.
Bischheim	Kirchheimboland	Kirchheimboland	A.

Gemeinde.	Bürgermeiſterei.	Kanton.	Kreis.
Biſchofsthron	Morbach	Rhaunen	B.
Bifforsheim	Großkarlbach	Grünſtadt	Sp.
Biſterſchied	Biſterſchied	Rockenhauſen	K.
Bitzingen	Meurig	Saarburg	L.
Blankenborn	Birkenhördt	Annweiler	Z.
Blankenrath	Blankenrath	Zell	Kz.
Blaubach	Cuſel	Cuſel	B.
Bledesbach	Cuſel	Cuſel	B.
Blickweiler	Blieskaſtel	Blieskaſtel	O.
Bliesbolgen	Bliesmengen	Blieskaſtel	O.
Bliesdahlheim	Walsheim	Medelsheim	Z.
Blieſen	Blieſen	Tholey	O.
Blieskaſtel	Blieskaſtel	Blieskaſtel	O.
Bliesmengen	Bliesmengen	Blieskaſtel	O.
Blödesheim	Monzernheim	Bechtheim	A.
Bobenheim a. B.	Bobenheim a. B.	Grünſtadt	Sp.
Bobenheim a. R.	Bobenheim a. R.	Frankenthal	Sp.
Bobenthal	Bobenthal	Dahn	Z.
Böbbingen	Freimersheim	Edenkoben	Sp.
Böchingen	Böchingen	Edenkoben	Sp.
Bockenau	Sobernheim	Sobernheim	S.
Böckweiler	Mittelbach	Medelsheim	Z.
Bodenheim	Bodenheim	Oppenheim	A.
Böhl	Böhl	Mutterſtadt	Sp.
Bolanden	Bolanden	Kirchheimboland	A.
Bollenbach	Rhaunen	Rhaunen	B.
Bondenbach	Rhaunen	Rhaunen	B.
Bonnerath	Schöndorf	Conz	L.
Boos	Sobernheim	Sobernheim	S.
Booſen	Otzenhauſen	Hermeskeil	B.
Boppard	Boppard	Boppard	Kz.
Börfink	Hermeskeil	Hermeskeil	B.
Borg	Borg	Saarburg	L.
Born	Walhauſen	St. Wendel	O.
Bornheim	Bornheim	Edenkoben	Sp.
Bornheim	Bornheim	Alzey	A.
Börrſtadt	Breunigweiler	Winnweiler	K.
Börsborn	Schöneberg	Waldmohr	O.

Gemeinde.	Burgermeisterei.	Kanton.	Kreis.
Bosenbach	Bosenbach	Wolfstein	K.
Bosenheim	Bosenheim	Wöllstein	A.
Bottenbach	Grossteinhausen	Neuhornbach	Z.
Branchweiler	Winzingen	Neustadt.	Sp.
Braunhausen	Ottzenhausen	Hermeskeil	B.
Braunshorn	Gödenroth	Castellaun	S.
Braunweiler	Mandel	Kreuznach	S.
Brauweiler	Monzingen	Sobernheim	S.
Breidt	Heidenburg	Neumagen	T.
Breingenborn	Baumholder	Baumholder	B.
Breiten	St. Wendel	St. Wendel	O.
Breitenbach	Waldmohr ·	Waldmohr	O.
Breitenheim	Meisenheim	Meisenheim	B.
Breitenthal	Hottenbach	Herrstein	B.
Breitfurt	Webenheim	Medelsheim	Z.
Brenschelbach	Brenschelbach	Neuhornbach	Z.
Breunigweiler	Breunigweiler	Winnweiler	K.
Brey	Rhens	Boppard	Kz.
Brezenheim	Langenlohnsh.	Kreuznach	S.
Brezenheim	Marienborn	Niederolm	A.
Briedel	Zell	Zell	Kz.
Briedern	Beilstein	Zell	Kz.
Britten	Besseringen	Merzig	T.
Broddorf	Hausbach	Merzig	T.
Brodenbach	Burgen	Treis	Kz.
Bruchmühlbach	Bruchmühlbach	Landstuhl	Z.
Bruchweiler	Bruchweiler	Dahn	Z.
Bruchweiler	Hottenbach	Herrstein	B.
Brücken	Birkenfeld	Birkenfeld	B.
Brüken	Schöneberg	Waldmohr	O.
Bruschied	Kirn	Kirn	S.
Bruttig	Beilstein	Zell	Kz.
Bubach	Laubach	Simmern	S.
Bubach	Niederkirchen	St. Wendel	O.
Bubach	Eppelborn	Tholey	O.
Bubenhausen	Zweybrücken	Zweybrücken	Z.
Bubenheim	Ottersheim	Göllheim	K.
Bubenheim	Groswinternh.	Oberingelheim	A.

Gemeinde.	Burgermeisterei.	Kanton.	Kreis.
Buborn	Offenbach	Grumbach	B.
Buch	Castellaun	Castellaun	S.
Buchenbeuren	Sohren	Kirchberg	S.
Buchholz	Halsenbach	Boppard	Kz.
Budenbach	Laubach	Simmern	S.
Budenheim	Budenheim	Oberingelheim	A.
Büdesheim	Ottersheim	Gdllheim	K.
Büdesheim	Büdesheim	Bingen	A.
Büdingen	Hilbringen	Merzig	T.
Büdlich	Heidenburg	Neumagen	T.
Buhlemberg	Birkenfeld	Birkenfeld	B.
Bullay	Zell	Zell	Kz.
Bundenthal	Bundenthal	Dahn	Z.
Bupperich	Hüttersdorf	Lebach	O.
Büschdorf	Orschholz	Merzig	T.
Büschfeld	Wadern	Wadern	B.
Bur. bach	Niederbrombach	Birkenfeld	B.
Burg	Enkirch	Trarbach	S.
Burgalben	Waldfischbach	Waldfischbach	Z.
Burgen	Burgen	Treis	Kz.
Burgen	Mühlheim	Bernkastel	T.
Burglichtenberg	Burglichtenberg	Cusel	B.
Burgsponheim.	Winterburg	Sobernheim	S.
Burrweiler	Burrweiler	Edenkoben	Sp.
Burtschied	Thalfang	Hermeskeil	B.
Busenberg	Busenberg	Dahn	Z.
Bußheim	Bliesmengen	Blieskastel	O.
Buzdorf	Perl	Saarburg	T.
Callbach	Obermoschel	Obermoschel	K.
Callenfels	Kirn	Kirn	S.
Callmesweiler	Eppelborn	Tholey	O.
Canzem	Canzem	Conz	T.
Cappel	Niederkostenz	Kirchberg	S.
Cappellen	Rhens	Boppard	Kz.
Cappeln	Grumbach	Grumbach	B.
Carpach	Pfalzfeld	St. Goar	S.
Casel	Ruver	Ruver	T.

Gemeinde.	Burgermeisterei.	Kanton.	Kreis.
Castell	Freudenburg	Saarburg	T.
Castellaun	Castellaun	Castellaun	S.
Cludenbach	Niederkostenz	Kirchberg	S.
Colgenstein	Colgenstein	Grünstadt	Sp.
Cöln	Alsenz	Obermoschel	K.
Commlingen	Oberemmel	Conz	T.
Cond	Beilstein	Zell	Kz.
Cönen	Conz	Conz	T.
Confeld	Weyerweiler	Wadern	B.
Contwig	Contwig	Zweybrücken	Z.
Conz	Conz	Conz	T.
Corlingen	Irsch	Conz	T.
Corweiller	Gbdenroth	Castellaun	S.
Crastel	Castellaun	Castellaun	S.
Crettenach	Oberemmel	Conz	T.
Crettenich	Neunkirchen	Wadern	B.
Cromweiler	Niederbrombach	Birkenfeld	B.
Cronenberg	Lauterecken	Lauterecken	K.
Crummenau	Rhaunen	Rhaunen	B.
Cülz	Simmern	Simmern	S.
Cürenz	Trier	Trier	T.
Cusel	Cusel	Cusel	B.
Dackenheim	Dackenheim	Dürkheim	Sp.
Dahlberg	Wallhausen	Stromberg	S.
Dahlheim	Dahlheim	Oppenheim	A.
Dahn	Dahn	Dahn	Z.
Dalsheim	Dalsheim	Pfeddersheim	Sp.
Dambach	Achtelsbach	Birkenfeld	B.
Damfloß	Hermeskeil	Hermeskeil	B.
Damschied	Wiebelsheim	Bacharach	S.
Dannenfels	Dannenfels	Kirchheimboland	A.
Dannstadt	Dannstadt	Mutterstadt	Sp.
Dansenberg	Kaiserslautern	Kaiserslautern	K.
Darstein	Oberschlettenb.	Annweiler	Z.
Daubach	Winterburg	Sobernheim	S.
Dautenheim	Framersheim	Alzey	A.
Darweiler	Stromberg	Stromberg	S.

Gemeinde.	Bürgermeisterei.	Kanton.	Kreis.
Deidesheim	Deidesheim	Dürkheim	Sp.
Deimberg	Offenbach	Grumbach	V.
Deisbergstegen	Quirnbach	Cusel	B.
Dellhofen	Wiebelsheim	Bacharach	S.
Dellfeld	Contwig	Zweybrücken	Z.
Dennweiler	Ulmeth	Cusel	W.
Dentzen	Kirchberg	Kirchberg	S.
Derrenbach	Werschweiler	Ottweiler	O.
Derxdorf	Eppelborn	Tholey	O.
Desloch	Meisenheim	Meisenheim	B.
Detzem	Leiwen	Neumagen	T.
Deuselbach	Thalfang	Hermeskeil	B.
Derheim	Schwabsburg	Oppenheim	A.
Dhaun	Kirn	Kirn	S.
Dichtelbach	Rheinböllen	Simmern	S.
Dickenhardt	Walhausen	St. Wendel	O.
Dickenschied	Gemünden	Kirchberg	S.
Dickesbach	Sien	Grumbach	B.
Dieblich	Niederfell	Boppard	Kz
Diedelkopf	Cusel	Cusel	B.
Diedersheim	Büdesheim	Bingen	A.
Diedesfeld	Diedesfeld	Neustadt	Sp.
Dielkirchen	Dielkirchen	Rockenhausen	K.
Dienheim	Oppenheim	Oppenheim	A.
Dienstweiler	Birkenfeld	Birkenfeld	B.
Dietrichingen	Mauschbach	Neuhornbach	O.
Dietschweiler	Münchweiler	Waldmohr	O.
Dietweiler	Waldmohr	Waldmohr	O.
Dietzweiler	Obermohr	Landstuhl	Z.
Dill	Dill	Kirchberg	S.
Dillendorf	Dill	Kirchberg	S.
Dillmahr	Sinz	Saarburg	T.
Dilsburg	Heusweiler	Lebach	O.
Dimbach	Oberschlettenb.	Annweiler	Z.
Dintesheim	Flomborn	Alzey	A.
Dirmingen	Dirmingen	Lebach	O.
Dirmstein	Dirmstein	Grünstadt	Sp.
Dittelsheim	Dittelsheim	Bechtheim	A.

2

Gemeinde.	Burgermeisterei.	Kanton.	Kreis.
Dolgesheim	Dolgesheim	Oppenheim	A.
Donnershausen	Burgen	Treis	Kz.
Donsieders	Rodalben	Pirmasenz	Z.
Dorf	Neunkirchen	Wadern	B.
Dörnbach	Dörnbach	Rockenhausen	R.
Dorndürkheim	Dorndürkheim	Wechtheim	A.
Dörrenbach	Stromberg	Stromberg	S.
Dörrenbach	Albersweiler	Annweiler	Z.
Dörrmoschel	Bisterschied	Rockenhausen	R.
Dorsheim	Waldalgesheim	Stromberg	S.
Dörth	Pfalzfeld	St. Goar	S.
Dorweiler	Gödenroth	Castellaun	S.
Drais	Finthen	Niederolm	A.
Draisen	Draisen	Göllheim	R.
Dreisbach	Orscholz	Merzig	L.
Dromersheim	Ockenheim	Bingen	A.
Duchroth	Duchroth	Obermoschel	R.
Dudenhofen	Dudenhofen	Speyer	S.
Dudenroth	Gödenroth	Castellaun	S.
Dunzweiler	Waldmohr	Waldmohr	O.
Duppenweiler	Hüttersdorf	Lebach	H.
Dürkheim	Dürkheim	Dürkheim	Sp.
Dusemond	Mühlheim	Bernkastel	T.
Dusenbrücken	Nünschweiler	Pirmasenz	Z.
Duttweiler	Duttweiler	Neustadt	Sp.
Ebernburg	Ebernburg	Obermoschel	R.
Ebershausen	Burgen	Treis	Kz.
Ebersheim	Ebersheim	Niederolm	A.
Ebertsheim	Ebertsheim	Grünstadt	Sp.
Ebscheid	Gödenroth	Castellaun	S.
Eckelsheim	Sieffersheim	Wöllstein	A.
Eckenroth	Stromberg	Stromberg	S.
Eckersweiler	Berschweiler	Baumholder	B.
Eckweiler	Winterburg	Sobernheim	S.
Edenkoben	Edenkoben	Edenkoben	Sp.
Edesheim	Edesheim	Edenkoben	Sp.
Edigheim	Edigheim	Frankenthal	Sp.

Gemeinde.	Burgermeisterei.	Kanton.	Kreis.
Ehlenbach	Mittelbollenbach	Baumholder	B.
Ehlingen	Herbitzheim	Blieskastel	D.
Ehweiler	Cusel	Cusel	B.
Eich	Eich	Bechtheim	A.
Eichkülz	Simmern	Simmern	S.
Eichloch	Armsheim	Wörstadt	A.
Eidenborn	Lebach	Lebach	O.
Eimsheim	Dolgesheim	Oppenheim	A.
Eindd	Eindd	Zweybrücken	Z.
Einöllen	Wolfstein	Wolfstein	K.
Einselthum	Albisheim	Kirchheimboland	A.
Eisen	Achtelsbach	Birkenfeld	B.
Eisenbach	Offenbach	Grumbach	B.
Eisenbach	Quirnbach	Cusel	B.
Eisenberg	Eisenberg	Göllheim	K.
Eisweiler	Walhausen	St. Wendel	O.
Eitelsbach	Ruver	Ruver	T.
Eitzweiler	Walhausen	St. Wendel	O.
Eiweiler	Heusweiler	Lebach	O.
Ekelhausen	Achtelsbach	Birkenfeld	B.
Elchweiler	Niederbrombach	Birkenfeld	B.
Ellenberg	Birkenfeld	Birkenfeld	B.
Ellern	Rheinböllen	Simmern	S.
Ellerstadt	Ellerstadt	Dürkheim	Sp.
Ellweiler	Achtelsbach	Birkenfeld	B.
Elmeren	Bliesen	Tholey	O.
Elmstein	Elmstein	Neustadt	Sp.
Elschbach	Obermisau	Waldmohr	O.
Elsheim	Sauerschwabenh.	Oberingelheim	A.
Elzenradt	Merscheid	Rhaunen	B.
Elzweiler	Horschbach	Wolfstein	K.
Engelstadt	Jugenheim	Oberingelheim	A.
Enkenbach	Alsenborn	Kaiserslautern	K.
Enkirch	Enkirch	Trarbach	S.
Ensheim	Ensheim	Blieskastel	O.
Ensheim	Spiesheim	Wörrstadt	A.
Entscheid	Tholey	Tholey	O.
Entzweiler	Oberstein	Herrstein	B.

257

Gemeinde.	Burgermeisterei.	Kanton.	Kreis.
Enzheim	Gundersheim	Pfeddersheim	Sp.
Eppelborn	Eppelborn	Tholey	O.
Eppelbrunn	Eppelbrunn	Pirmasenz	Z.
Eppelsheim	Eppelsheim	Bechtheim	A.
Eppstein	Eppstein	Frankenthal	Sp.
Erbach	Rheinbölln	Simmern	S.
Erbach	Homburg	Homburg	Z.
Erbesbüdesheim	Erbesbüdesheim	Alzey	A.
Erden	Zeltingen	Bernkastel	T.
Erdesbach	Ulmeth	Cusel	B.
Erfenbach	Weilerbach	Kaiserslautern	K.
Erfweiler	Herbitzheim	Blieskastel	O.
Erfweiler	Erfweiler	Dahn	Z.
Erlenbach	Kaiserslautern	Kaiserslautern	K.
Erlenbach	Erlenbach	Dahn	Z.
Erlenbrunn	Simbten	Pirmasenz	Z.
Ernstweiler	Zweybrücken	Zweybrücken	Z.
Erpolsheim	Erpolsheim	Dürkheim	Sp.
Erzenhausen	Weilerbach	Kaiserslautern	K.
Erzweiler	Baumholder	Baumholder	B.
Eschbach	Eschbach	Annweiler	Z.
Eschenau	Offenbach	Grumbach	B.
Eschringen	Ensheim	Blieskastel	O.
Esselborn	Kettenheim	Alzey	A.
Essenheim	Essenheim	Niederolm	A.
Essingen.	Sinz	Saarburg	T.
Essingen	Essingen	Edenkoben	Sp.
Essweiler	Essweiler	Wolfstein	K.
Esthal	Esthal	Neustadt	Sp.
Etgert	Thalfang	Hermeskeil	B.
Etschberg	Quirnbach	Cusel	B.
Eulenbiß	Jettenbach	Wolfstein	K.
Eusersthal	Ramberg	Annweiler	Z.
Eyweiler	Neunkirchen	Wadern	B.
Faha	Meurig	Saarburg	T.
Falkenstein	Jnsbach	Winnweiler	K.
Falscheid	Lebach	Lebach	O.

Gemeinde.	Burgermeisterei.	Kanton.	Kreis.
Fankel	Beilstein	Zell	Kz.
Farschweiler	Farschweiler	Hermeskeil	B.
Fasterau	Longuich	Ruver	T.
Feckweiler	Birkenfeld	Birkenfeld	B.
Fehrbach	Pirmasenz	Pirmasenz	Z.
Feil	Feil	Obermoschel	K.
Fell	Longuich	Ruver	T.
Fellerich	Wasserlisch	Conz	T.
Feyen	Trier	Trier	T.
Filsch	Irsch	Conz	T.
Filzen	Conz	Conz	T.
Filzen	Mühlheim	Bernkastel	T.
Finkenbach	Waldgrehweiler	Rockenhausen	K.
Finthen	Finthen	Niederolm	A.
Fischbach	Fischbach	Dahn	Z.
Fischbach	Fischbach	Herrstein	B.
Flemmlingen	Burrweiler	Edenkoben	Sp.
Flomborn	Flomborn	Alzey	A.
Flommersheim	Flommersheim	Frankenthal	Sp.
Flonheim	Flonheim	Alzey	A.
Föckelberg	Neunkirchen	Wolfstein	K.
Fockenberg	Reichenbach	Landstuhl	Z.
Fohren	Berschweiler	Baumholder	B.
Forst	Forst	Dürkheim	Sp.
Framersheim	Framersheim	Alzey	A.
Franckweiler	Gleisweiler	Edenkoben	Sp.
Franckweiler	Gödenroth	Castellaun	S.
Frankelbach	Kaulbach	Otterberg	K.
Frankenstein	Hochspeyer	Kaiserslautern	K.
Frankenthal	Frankenthal	Frankenthal	Sp.
Franzenheim	Schöndorf	Conz	T.
Frauenberg	Reichenbach	Baumholder	B.
Freimersheim	Freimersheim	Alzey	A.
Freimersheim	Böbingen	Edenkoben	Sp.
Freinsheim	Freinsheim	Dürkheim	Sp.
Freischbach	Freischbach	Germersheim	Sp.
Frettenheim	Heßloch	Bechtheim	A.
Freudenburg	Freudenburg	Saarburg	T.

Gemeinde.	Bürgermeisterei.	Kanton.	Kreis.
Freylaubersheim	Freylaubersheim	Wöllstein	A.
Freysen	Nohefelden	Baumholder	B.
Freyweinheim	Freyweinheim	Oberingelheim	A.
Friedelhausen	Bosenbach	Wolfstein	K.
Friedelsheim	Friedelsheim	Dürkheim	Sp.
Friedrichsthal	Neunkirchen	Ottweiler	O.
Friesenheim	Friesenheim	Mutterstadt	Sp.
Friesenheim	Gabsheim	Wörrstadt	A.
Frohnbach	Ulmeth	Cusel	B.
Frohnhausen	Baumholder	Baumholder	B.
Frohnhofen	Waldmohr	Waldmohr	O.
Fromersbach	Zerf	Saarburg	T.
Fronhofen	Untzenberg	Simmern	S.
Frutzweiler	Quirnbach	Cusel	B.
Fürfeld	Fürfeld	Wöllstein	A.
Furschweiler	Walhausen	St. Wendel	O.
Fürth	Werschweiler	Ottweiler	O.
Fußgbhnheim	Rugheim	Mutterstadt	Sp.
Gabsheim	Gabsheim	Wörrstadt	A.
Gangloff	Becherbach	Lauterecken	K.
Gaubischofsheim	Harrheim	Niederolm	A.
Gauböckelheim	Gauböckelheim	Wörrstadt	A.
Gauersheim	Gauersheim	Kirchheimboland	A.
Gaugrehweiler	Gaugrehweiler	Rockenhausen	K.
Gaulsheim	Kempten	Bingen	A.
Gebroth	Winterburg	Sobernheim	S.
Gehlweiler	Gemünden	Kirchberg	S.
Gehrach	Fischbach	Herrstein	B.
Gehrweiler	Gundersweiler	Winnweiler	K.
Gehweiler	Walhausen	St. Wendel	O.
Gehweiler	Wadern	Wadern	B.
Geinsheim	Geinsheim	Neustadt	Sp.
Geiselberg	Heltersberg	Waldfischbach	Z.
Geisfeld	Hermeskeil	Hermeskeil	B.
Gemünden	Gemünden	Kirchberg	S.
Genheim	Waldalgesheim	Stromberg	S.
Gennweiler	Uchßelfangen	Ottweiler	O.

260

Gemeinde.	Burgermeisterei.	Kanton.	Kreis.
Gensingen	Gensingen	Bingen	A.
Gerbach	Gerbach	Kirchheimboland	A.
Gerhardsbrun	Gerhardsbrun	Landstuhl	Z.
Germersheim	Germersheim	Germersheim	Sp.
Gerolsheim	Gerolsheim	Frankenthal	Sp.
Gerschbach	Biningen	Pirmasenz	Z.
Gersheim	Herbitzheim	Blieskastel	H.
Gersweiler	Waldgrehweiler	Rockenhausen	K.
Gillert	Talling	Neumagen	T.
Gimbsbach	Reichenbach	Landstuhl	Z.
Gimbsheim	Gimbsheim	Bechtheim	A.
Gimbweiler	Nohefelden	Baumholder	B.
Gimmeldingen	Gimmeldingen	Neustadt	Sp.
Ginsweiler	Odenbach	Lauterecken	K.
Gleisweiler	Gleisweiler	Edenkoben	Sp.
Goar St.	St. Goar	St. Goar	S.
Göcklingen	Göcklingen	Annweiler	Z.
Goddelhausen	Quirnbach	Cussel	B.
Gödenroth	Gödenroth	Castellaun	S.
Godramstein	Siebeldingen	Annweiler	Z.
Golbach	Limbach	Tholey	O.
Gollenberg	Birkenfeld	Birkenfeld	B.
Göllheim	Göllheim	Winnweiler	K.
Gombach	Münchweiler	Göllheim	K.
Gommersheim	Gommersheim	Germersheim	Sp.
Gönheim	Gönheim	Dürkheim	Sp.
Gonnesweiler	Neunkirchen	Wadern	A.
Gonsenheim	Gonsenheim	Niederolm	A.
Gornhausen	Mühlheim	Bernkastel	T.
Gösenrodt	Rhaunen	Rhaunen	B.
Gossersweiler	Schwanheim	Annweiler	Z.
Göttschied	Fischbach	Herrstein	B.
Graach	Bernkastel	Bernkastel	T.
Gräfenhausen	Lambrecht	Neustadt	Sp.
Gräfenthron	Niederemmel	Neumagen	T.
Gräfenhausen	Annweiler	Annweiler	Z.
Grenderich	Beilstein	Zell	Kz.
Gresanbach	Limbach	Tholey	O.

Gemeinde.	Burgermeisterei.	Kanton.	Kreis.
Grethen	Dürkheim	Dürkheim	Sp.
Griebelschied	Fischbach	Herrstein	B.
Gries	Obermisau	Waldmohr	O.
Grimerath	Zerff	Saarburg	T.
Grolsheim	Grolsheim	Bingen	A.
Gronig	Bliesen	Tholey	O.
Grosbockenheim.	Grosbockenheim	Grünstadt	Sp.
Grosbundenbach	Grosbundenbach	Homburg	3.
Grosfischlingen	Grosfischlingen	Edenkoben	Sp.
Groskarlbach	Groskarlbach	Grünstadt	Sp.
Grosniedesheim	Grosniedesheim	Frankenthal	Sp.
Grossteinhausen	Grossteinhausen	Neuhornbach	3.
Groswinternh.	Groswinternh.	Oberingelheim	A.
Grügelborn	Oberkirchen	St. Wendel	O.
Grumbach	Grumbach	Grumbach	B.
Grünbach	Baumholder	Baumholder	B.
Grünstadt	Grünstadt	Grünstadt	Sp.
Gudenthal	Morbach	Rhaunen	B.
Guidesweiler	Bliesen	Tholey	O.
Gumbsheim	Wöllstein	Wöllstein	A.
Gumbsweiler	Hundheim	Lauterecken	K.
Gundersheim	Gundersheim	Pfeddersheim	Sp.
Gundersweiler	Gundersweiler	Winnweiler	K.
Gundheim	Gundheim	Pfeddersheim	Sp.
Guntersblum	Guntersblum	Oppenheim	A.
Gunzerath	Bernkastel	Bernkastel	T.
Gusenburg	Hermeskeil	Hermeskeil	T.
Gusterath	Irsch	Conz	T.
Gutenberg	Mandel	Kreuznach	T.
Guttweiler	Irsch	Conz	T.
Haag	Merschied	Rhaunen	B.
Haardt	Haardt	Neustadt	Sp.
Habach	Eppelborn	Tholey	O.
Habkirchen	Bliesmengen	Blieskastel	O.
Hachenbach.	Hundheim	Lauterecken	K.
Hackenheim	Bosenheim	Wöllstein	A.
Hahn	Trarbach	Trarbach	S.

Gemeinde.	Burgermeisterei.	Kanton.	Kreis.
Hahn	Lebach	Lebach	O.
Hahnenbach	Kirn	Kirn	S.
Hainfeld	Weyher	Edenkoben	Sp.
Hallgarten	Feil	Obermoschel	K.
Halsenbach	Halsenbach	Boppard	Kz.
Hambach	Hambach	Neustadt	Sp.
Hambach	Leisel	Birkenfeld	B.
Hamm	Hamm	Bechtheim	A.
Hamm	Conz	Conz	T.
Hamm	Freudenburg	Saarburg	T.
Hammerstein	Reichenbach	Baumholder	B.
Hangard	Neunkirchen	Ottweiler	O.
Haugenwahlh.	Alsheim	Bechtheim	A.
Hangenweißh.	Eppelsheim	Bechtheim	A.
Hanheim	Selsen	Oppenheim	A.
Hanhofen	Hanhofen	Speyer	Sp.
Hanweiler	Nohefelden	Baumholder	B.
Hargesheim	Mandel	Kreuznach	S.
Harlingen	Bietzen	Merzig	T.
Harschburg	Zeselberg	Waldfischbach	Z.
Hartenburg	Dürkheim	Dürkheim	Sp.
Harthausen	Heiligenstein	Speyer	Sp.
Harrheim	Harrheim	Göllheim	K.
Harrheim	Harrheim	Niederolm	A.
Hasbach	Münchweiler	Waldmohr	O.
Hasborn	Theley	St. Wendel	O.
Haschbach	Quirnbach	Cusel	B.
Hassel	St. Imbert	Viieskastel	O.
Hasselbach	Castellaun	Castellaun	S.
Hasserich	Castellaun	Castellaun	S.
Haßloch	Haßloch	Neustadt	Sp.
Hattgenstein	Leisel	Birkenfeld	B.
Hauenstein	Hauenstein	Dahn	Z.
Haupertsweiler	Oberkirchen	St. Wendel	O.
Hauptstuhl	Bruchmühlbach	Landstuhl	Z.
Hausbach	Hausbach	Merzig	T.
Hausbay	Pfalzfeld	St. Goar	S.
Hausen	Dürkheim	Dürkheim	Sp.

3

263

Gemeinde.	Burgermeisterei.	Kanton.	Kreis.
Haussen	Gemünden	Kirchberg	S.
Hausweiler	Grünbach	Grumbach	B.
Hechtsheim	Hechtsheim	Niederolm	U.
Hecken	Dill	Kirchberg	S.
Heckendalheim	Ensheim	Blieskastel	S.
Heddesheim	Langenlonsheim	Kreuznach	S.
Hedert	Kell	Hermeskeil	B.
Hefersweiler	Hefersweiler	Wolfstein	K.
Heidesheim	Heidesheim	Oberingelhem	U.
Heidesheim	Colgenstein	Grünstadt	Sp.
Heiligenmoschel	Heiligenmoschel	Otterberg	K.
Heiligenstein	Heiligenstein	Speyer	Sp.
Heiligkreuz	Heiligkreuz	Trier	T.
Heimbach	Berschweiler	Baumholder	B.
Heimberg	Hundsbach	Meisenheim	B.
Heimersheim	Heimersheim	Alzey	U.
Heinkirchen	Niederkirchen	Otterberg	K.
Heinzenbach	Unzenberg	Simmern	S.
Heinzenberg	Kirn	Kirn	S.
Heinzenburg	Schöndorf	Conz	T.
Heinzenhausen	Lauterecken	Lauterecken	K.
Heinzerath	Merschied	Rhaunen	B.
Heisterberg	Walhausen	St. Wendel	O.
Helfaud	Sinz	Saarburg	T.
Hellenhausen	Heusweiler	Lebach	O.
Hellertshausen	Hottenbach	Herrstein	B.
Heltersberg	Heltersberg	Waldfischbach	Z.
Hengstbach	Mittelbach	Medelsheim	Z.
Hengstberg	Windsberg	Pirmasenz	Z.
Heunweiler	Kirn	Kirn	S.
Henteren	Zerf	Saarburg	T.
Heppenheim	Heppenheim	Bechtheim	U.
Heppenheim	Heppenheim	Pfeddersheim	Sp.
Herbitzheim	Herbitzheim	Blieskastel	S.
Herchenbach	Heusweiler	Lebach	O.
Herel	Farschweiler	Hermeskeil	B.
Hergenfeld	Windesheim	Stromberg	S.
Heringen	Gundersweiler	Winnweiler	K.

Gemeinde.	Burgermeisterei	Kanton.	Kreis.
Hermesberg	Horbach	Waldfischbach	3.
Hermeskeil	Hermeskeil	Hermeskeil	B.
Hernsheim	Hernsheim	Pfeddersheim	Sp.
Herrstein	Herrstein	Herrstein	B.
Herschberg	Herschberg	Waldfischbach	3.
Herschweiler	Konken	Cusel	K.
Herschweiler	Burglichtenberg	Cusel	B.
Herschwiesen	Halsenbach	Boppard	Kz.
Hertlingshausen	Karlsberg	Grünstadt	Sp.
Herrheim	Weisenheim a.B.	Dürkheim	Sp.
Heßheim	Heßheim	Frankenthal	Sp.
Heßloch	Heßloch	Bechtheim	A.
Heßweiler	Blankenrath	Zell	Kz.
Hettenhausen	Zeselberg	Waldfischbach	3.
Hettenleidelheim	Hettenleidelheim	Grünstadt	Sp.
Hettenrodt	Oberstein	Herrstein	B.
Hettstein	Oberstein	Herrstein	B.
Heubweiler	Leisel	Birkenfeld	B.
Heuchelheim	Heuchelheim	Frankenthal	Sp.
Heusweiler	Heusweiler	Lebach	O.
Heydenburg	Heydenburg	Neumagen	T.
Heyweiler	Gödenroth	Castellau	S.
Hilbringen	Hilbringen	Merzig	T.
Hillesheim.	Hillesheim	Wörrstadt	A.
Hilsbach	Heusweiler	Lebach	O.
Hilschied	Thalfang	Hermeskeil	B.
Hilst	Trulben	Pirmasenz	3.
Hinterweidenthal	Hinterweidenthal	Dahn	3.
Hinzenburg	Schöndorf	Conz	T.
Hinzerath	Morbach	Rhaunen	B.
Hinzert	Hermeskeil	Hermeskeil	B.
Hinzweiler	Hundheim	Lauterecken	K.
Hirscheid	Dirmingen	Lebach	O.
Hirschfeld	Trarbach	Trarbach	S.
Hirschhorn	Katzweiler	Otterberg	K.
Hirschthal	Schönau	Pirmasenz	3.
Hirstein	Walhausen	St. Wendel	O.
Hirtel	Heusweiler	Lebach	O.

Gemeinde.	Burgermeisterei.	Kanton.	Preis.
Hirzenach	Boppard	Boppard	Kj.
Hirzweiler	Urerweiler	Ottweiler	KO.
Hochdorf	Hochdorf	Mutterstadt	Sp.
Hochfeld	Walhausen	St. Wendel	Q.
Hochheim	Hochheim	Pfeddersheim	Sp.
Hochmühlbach	Nünschweiler	Pirmasenz	3.
Hochscheid	Rhaunen	Rhaunen	W.
Hochspeyer	Hochspeyer	Kaiserslautern	K.
Hochstätten	Merrheim	Meisenheim	B.
Hochstätten	Ebernburg	Obermoschel	K.
Hochstätten	Kirn	Kirn	S.
Hochstein	Winnweiler	Winnweiler	K.
Hockweiler	Jrsch	Conz	N.
Hof	Niederkirchen	St. Wendel	O.
Högen	Waldmohr	Waldmohr	N.
Hoheinöd	Hoheinöd	Waldfischbach	3.
Hohenecken	Kaiserslautern	Kaiserslautern	K.
Hohenellen	Lauterecken	Lauterecken	K.
Hohensülzen	Hohensülzen	Pfeddersheim	Sp.
Hoheschweiler	Nünschweiler	Pirmasenz	3.
Hollnich	Göddenroth	Castellaun	G.
Holz	Heusweiler	Lebach	O.
Holzbach	Simmern	Simmern	S.
Holzfeld	St. Goar	St. Goar	S.
Holzrath	Schöndorf	Conz	T.
Homberg	Grumbach	Grumbach	B.
Homburg	Homburg	Homburg	3.
Hönau	Gemünden	Kirchberg	S.
Hoppstätten	Birkenfeld	Birkenfeld	B.
Hoppstätten	Sien	Grumbach	B.
Horath	Niederemmel	Neumagen	T.
Horbach	Horbach	Waldfischbach	3.
Horbach	Monzingen	Sobernheim	S.
Horbruch	Rhaunen	Rhaunen	B.
Horchheim	Horchheim	Pfeddersheim	Sp.
Horn	Laubach	Simmern	S.
Horschbach	Horschbach	Wolfstein	K.
Horweiler	Aspisheim	Oberingelheim	A.

Gemeinde.	Burgermeisterei.	Kanton.	Kreis.
Hottenbach	Hottenbach	Herrstein	B.
Horel	Morbach	Rhaunen	B.
Hüffelsheim	Hüffelsheim	Kreuznach	S.
Hüffler	Konken	Cusel	B.
Humes	Dirmingen	Lebach	H.
Hundheim	Hundheim	Lauterecken	K.
Hundheim	Morbach	Rhaunen	B.
Hundheim	Castellaun	Castellaun	S.
Hundsbach	Hundsbach	Meisenheim	B.
Hungenroth	Pfalzfeld	St. Goar	S.
Hunolstein	Merschied	Rhaunen	B.
Husweiler	Niederbrombach	Birkenfeld	B.
Hütschenhausen	Hütschenhausen	Landstuhl	Z.
Hüttersdorf	Hüttersdorf	Lebach	H.
Hüttigweiler	Uchtelfangen	Ottweiler	H.
Jabach	Lebach	Lebach	H.
Jägersburg	Waldmohr	Waldmohr	H.
Jakobsweiler	Dannenfels	Kirchheimboland	A.
Ibersheim	Hamm	Bechtheim	A.
Idar	Oberstein	Herrstein	B.
Jeckenbach	Meisenheim	Meisenheim	B.
Jettenbach	Jettenbach	Wolfstein	K.
Iggelbach	Elmstein	Neustadt.	Sp.
Iggelheim	Iggelheim	Mutterstadt	Sp.
Ilbesheim	Ilbesheim	Kirchheimboland	A.
Ilbisheim	Ilbisheim	Annweiler	Z.
Illgesheim	Sien	Grumbach	B.
Illingen	Uchtelfangen	Ottweiler	H.
Imbert St.	St. Imbert	Blieskastel	H.
Immert	Thalfang	Hermeskeil	B.
Immesheim	Ottersheim	Göllheim	K.
Immweiler	Bliesen	Tholey	H.
Impflingen	Göcklingen	Annweiler	Z.
Imsbach	Imsbach	Winnweiler	K.
Imsbach	Theley	St. Wendel	H.
Imsweiler	Gundersweiler	Winnweiler	K.

Gemeinde.	Burgermeisterei.	Kanton.	Kreis.
Johann St.	Sprendlingen	Wöllstein	A.
Ippenschied	Winterburg	Sobernheim	S.
Ippesheim	Biebelsheim	Wöllstein	A.
Irmenach	Trarbach	Trarbach	S.
Irsch	Irsch	Saarburg	T.
Irsch	Irsch	Conz	T.
Jugenheim	Jugenheim	Oberingelheim	A.
Julian St.	Offenbach	Grumbach	B.
Irheim	Einöd	Zweybrücken	Z.
Kahren	Saarburg	Saarburg	T.
Kaiserslautern	Kaiserslautern	Kaiserslautern	K.
Kalkofen	Niederhausen	Obermoschel	R.
Kallstadt	Kallstadt	Dürkheim	Sp.
Karlsberg	Karlsberg	Grünstadt	Sp.
Käshofen	Käshofen	Homburg	Z.
Katzenbach	Dörnbach	Rockenhausen	K.
Katzenbach	Hütschenhausen	Landstuhl	Z.
Katzweiler	Katzweiler	Otterberg	K.
Kaulbach	Kaulbach	Otterberg	K.
Keidelheim	Simmern	Simmern	S.
Keffersheim	Sien	Grumbach	B.
Kell	Kell	Hermeskeil	S.
Kellenbach	Kirn	Kirn	S.
Kelsen	Meurig	Saarburg	T.
Kempfeld	Hottenbach	Herrstein	B.
Kempten	Kempten	Bingen	A.
Kenn	Longuich	Ruver	T.
Kerborn	Ulmeth	Cusel	B.
Kerborn	Herrstein	Herrstein	B.
Kernscheid	Irsch	Conz	T.
Kerzenheim	Kerzenheim	Göllheim	K.
Keslingen	Perl	Saarburg	T.
Kettenheim	Kettenheim	Alzey	A.
Keuchingen	Orschholz	Merzig	T.
Kindel	Zeltingen	Bernkastel	T.
Kindernheim	Kindernheim	Grünstadt	Sp.
Kindsbach	Landstuhl	Landstuhl	Z.

Gemeinde.	Burgermeisterei.	Kanton.	Kreis.
Kirberg	Homburg	Homburg	Z.
Kirchberg	Kirchberg	Kirchberg	S.
Kirchenarnbach	Gerhardsbrun	Landstuhl	Z.
Kirchenbollenb.	Mittelbollenbach	Baumholder	B.
Kirchheim a. d. E	Kirchheim a. d. E	Grünstadt	Sp.
Kirchheimboland	Kirchheimboland	Kirchheimboland	A.
Kirf	Menrig	Saarburg	T.
Kirkel	Limbach	Waldmohr	Z.
Kirn	Kirn	Kirn	S.
Kirrweiler	Kirrweiler	Edenkoben	Sp.
Kirrweiler	Grumbach	Grumbach	B.
Kirschhof	Heusweiler	Lebach	O.
Kirschrodt	Meddersheim	Meisenheim	B.
Kirschweiler	Herrstein	Herrstein	B.
Kisselbach	Laubach	Simmern	S.
Klausen	Merzalben	Waldfischbach	Z.
Kleinbockenheim	Kleinbockenheim	Grünstadt	Sp.
Kleinbundenbach	Grosbundenbach	Homburg	Z.
Kleinfischlingen	Grosfischlingen	Edenkoben	Sp.
Kleinich	Bernkastel	Bernkastel	T.
Kleinkarlbach	Kleinkarlbach	Grünstadt	Sp.
Kleinniedesheim	Grosniedesheim	Frankenthal	Sp.
Kleinottweiler	Waldmohr	Waldmohr	O.
Kleinsteinhausen	Grossteinhausen	Neuhornbach	Z.
Kleinweidelbach	Rheinböllen	Simmern	S.
Kleinwinternh.	Oberolm	Niederolm	A.
Klosterkumd	Laubach	Simmern	S.
Knopp	Winterbach	Zweybrücken	Z.
Knebringen	Vbchingen	Edenkoben	Sp.
Knorscheid	Lebach	Lebach	O.
Kollweiler	Jettenbach	Wolfstein	K.
Köngernheim	Odernheim	Alzey	A.
Köngernheim	Dahlheim	Oppenheim	A.
Königsau	Kirn	Kirn	S.
Königsbach	Königsbach	Neustadt	Sp.
Konken	Konken	Cusel	B.
Körerich	Leiwen	Neumagen	T.
Körperich	Ralbach	Lebach	O.

Gemeinde.	Burgermeisterei.	Kanton.	Kreis.
Körrig	Meurich	Saarburg	T.
Kottweiler	Obermohr	Landstuhl	3.3.
Krähenberg	Käshofen	Homburg	3.
Kratzenburg	Halsenbach	Boppard	Rz.
Krebsweiler	Hundsbach	Meisenheim	B.
Kreimbach	Kaulbach	Otterberg	K.
Kreppen	Trulben	Pirmasenz	3.S.
Kreuznach	Kreuznach	Kreuznach	S.
Krickenbach	Trippstadt	Kaiserslautern	K.
Kriegsfeld	Kriegsfeld	Kirchheimboland	A.
Kriegsheim	Kriegsheim	Pfeddersheim	Sp.
Krottenbach	Konken	Cusel	B.
Kruttweiler	Saarburg	Saarburg	Bz.
Kübelberg	Schöneberg	Waldmohr	3.QQ.
Kurhof	Heusweiler	Lebach	QQ.
Kuzhof	Heusweiler	Lebach	Q.
Labach	Saarwellingen	Lebach	Q.
Lachen	Lachen	Neustadt	Sp.
Lahr	Treis	Treis	Rz.Sp.
Lambrecht	Lambrecht	Neustadt	Sp.
Lambsborn	Lambsborn	Homburg	3.Sp.
Lambsheim	Lambsheim	Frankenthal	Sp.
Lampaden	Oberemmel	Conz	T.QQ.
Landstuhl	Landstuhl	Landstuhl	Q.
Landsweiler	Stennweiler	Ottweiler	Q.
Landsweiler	Lebach	Lebach	Q.
Langenbach	Konken	Cusel	B.
Langenlonsheim	Langenlonsheim	Kreuznach	B.S.S.
Langenthal	Monzingen	Sobernheim	S.
Langmeil	Winnweiler	Winnweiler	K.
Langschied	Wiebelsheim	Bacharach	S.
Langweiler	Grumbach	Grumbach	B.
Langwitten	Lambsborn	Homburg	3.S.
Laubach	Laubach	Simmern	S.
Laubenheim	Laubenheim	Niederolm	A.
Laubenheim	Langenlonsheim	Kreuznach	S.S.
Lauddert	Pfalzfeld	St. Goar	S.

Gemeinde.	Burgermeisterei.	Kanton.	Kreis.
Laufersweiler	Sohren	Kirchberg	S.
Laumersheim	Laumersheim	Grünstadt	Sp.
Lauschied	Meisenheim	Meisenheim	B.
Lautenbach	Werschweiler	Ottweiler	O.
Lauterecken	Lauterecken	Lauterecken	K.
Lauterschwan	Lauterschwan	Dahn	Z.
Lautersheim	Kerzenheim	Göllheim	K.
Lauzenhausen	Sohren	Kirchberg	S.
Lauzkirchen	Blieskastel	Blieskastel	H.
Lay	Niederfell	Boppard	Kz.
Lebach	Lebach	Lebach	O.
Leideneck	Castellaun	Castellaun	S.
Leimen	Merzalben	Waldfischbach	Z.
Leiningen	Pfalzfeld	St. Goar	S.
Leinsweiler	Albersweiler	Annweiler	Z.
Leisel	Leisel	Birkenfeld	B.
Leiselheim	Leiselheim	Pfeddersheim	Sp.
Leistadt	Kallstadt	Dürkheim	Sp.
Leitersweiler	Niederkirchen	St. Wendel	O.
Leitzweiler	Nohefelden	Baumholder	B.
Leiwen	Leiwen	Neumagen	T.
Lemberg	Lemberg	Pirmasenz	Z.
Lettweiler	Odernheim	Obermoschel	K.
Leuken	Saarburg	Saarburg	T.
Liebstahl	Quirnbach	Cusel	B.
Lieg	Treis	Treis	Kz.
Liepshausen	Wiebelsheim	Bacharach	S.
Liesenfeld	Beulig	Treis	Kz.
Limbach	Limbach	Waldmohr	O.
Limbach	Limbach	Tholey	O.
Limbach	Hundsbach	Meisenheim	B.
Limbach	Reichenbach	Landstuhl	Z.
Linden	Bliesen	Tholey	O.
Linden	Queidersbach	Landstuhl	Z.
Linden	Berschweiler	Baumholder	B.
Lindenberg	Lambrecht	Neustadt	Sp.
Lindenschied	Dill	Kirchberg	S.
Lingenfeld	Lingenfeld	Germersheim	Sp.

4

Gemeinde.	Burgermeisterei.	Kanton.	Kreis.
Lingerhahn	Pfalzfeld	St. Goar	S.
Linscheid	Limbach	Tholey	H.
Littorf	Nittel	Conz	T.
Lobloch	Gimmeldingen	Neustadt	Sp.
Lockweiler	Wadern	Wadern	W.
Löffelschied	Blankenrath	Zell	Kz.
Lohnweiler	Lauterecken	Lauterecken	K.
Lölbach	Meisenheim	Meisenheim	B.
Longkamp	Bernkastel	Bernkastel	T.
Longuich	Longuich	Ruver	T.
Lonsfeld	Lonsfeld	Winnweiler	K.
Lonsheim	Bornheim	Alzey	A.
Lorscheid	Farschweiler	Hermeskeil	B.
Lobrzweiler	Mommernheim	Oppenheim	A.
Lösenich	Zeltingen	Bernkastel	T.
Losheim	Losheim	Merzig	S.
Lötzbeuren	Trarbach	Trarbach	T.
Löwenbrücken	Trier	Trier	T.
Luckenburg	Talling	Neumagen	3.
Ludwigswinkel	Obersteinbach	Pirmasenz	3.
Lug	Schwanheim	Annweiler	O.
Lummerscheid	Heusweiler	Lebach	Kz.
Lutz	Treis	Treis	
Macherbach	Eppelborn	Tholey	O.
Macken	Burgen	Treis	Kz.
Mackenbach	Ramstein	Landstuhl	3.
Mackenrodt	Oberstein	Herrstein	W.
Mainzweiler	Urexweiler	Ottweiler	E.
Maisborn	Pfalzfeld	St. Goar	S.
Maitzborn	Dill	Kirchberg	S.
Maitzenhausen	Niederkostenz	Kirchberg	W.
Malborn	Thalfang	Hermeskeil	B.
Mambächel	Baumholder	Baumholder	S.
Mandel	Mandel	Kreuznach	W.
Mandern	Kell	Hermeskeil	T.
Mandern	Borg	Saarburg	
Mannebach	Saarburg	Saarburg	

Gemeinde.	Burgermeisterei.	Kanton.	Kreis.
Mannebach	Gödenroth	Castellaun	S.G.
Mannebach	Bacharach	Bacharach	G.
Mannweiler	Alsenz	Obermoschel	K.
Marienborn	Marienborn	Niederolm	U.
Marienthal	Rockenhausen	Rockenhausen	K.
Marnheim	Marnheim	Kirchheimboland	U.
Marpingen	Tholey	Tholey	O.
Marth	Niederkirchen	St. Wendel	O.
Martin St.	St. Martin	Edenkoben	Sp.
Martinshöhe	Lambsborn	Homburg	3.
Martinstein	Monzingen	Sobernheim	S.
Mastershausen	Blankenrath	Zell	Kz.
Maßweiler	Maßweiler	Zweybrücken	3.
Mathias St.	Trier	Trier	T.
Matzenbach	Reichenbach	Landstuhl	3.
Mauchenheim	Mauchenheim	Kirchheimboland	U.
Maudach	Mundenheim	Mutterstadt	Sp.
Mausbach	Walhausen	St. Wendel	O.
Mauschbach	Mauschbach	Neuhornbach	3.
Maykammer	Maykammer	Edenkoben	Sp.
Mechern	Hilbringen	Merzig	T.
Mechtersheim	Mechtersheim	Speier	Sp.
Meckenbach	Merrheim	Meisenheim	B.
Meckenbach	Achtelsbach	Birkenfeld	B.
Meckenheim	Meckenheim	Neustadt	Sp.
Medard St.	Trier	Trier	T.
Meddard	Meisenheim	Meisenheim	B.
Meddersheim	Meddersheim	Meisenheim	B.
Medelsheim	Medelsheim	Medelsheim	3.
Mehlbach	Katzweiler	Otterberg	K.
Meisenheim	Meisenheim	Meisenheim	B.
Mengerschied	Ohlweiler	Simmern	S.
Menningen	Wietzen	Merzig	T.
Merchweiler	Uchtelfangen	Ottweiler	O.
Merl	Zell	Zell	Kz.
Mermuth	Beulig	Treis	Kz.
Merschied	Merschied	Rhaunen	B.
Merschied	Herrstein	Herrstein	B.

Gemeinde.	Burgermeisterei.	Kanton.	Kreis.
Merschied	Ruver	Ruver	T.
Mertesdorf	Ruver	Ruver	T.
Mertesheim	Asselheim	Grünstadt	Sp.
Merxheim	Merxheim	Meisenheim	B.
Merz	Castellaun	Castellaun	3.
Merzalben	Merzalben	Waldfischbach	3.
Merzelich	Conz	Conz	T.
Merzig	Merzig	Merzig	T.
Merzweiler	Grumbach	Grumbach	B.
Mesenig	Beilstein	Zell	Kz.
Mettenheim	Bechtheim	Bechtheim	A.
Mettloch	Besseringen	Merzig	T.
Mettnich	Neunkirchen	Wadern	B.
Mettweiler	Berschweiler	Baumholder	B.
Meurich	Meurich	Saarburg	T.
Michelbach	Castellaun	Castellaun	3.
Michelbach	Weyerweiler	Wadern	B.
Miesenbach	Ramstein	Landstuhl	3.
Mimbach	Webenheim	Medelsheim	3.
Mittelbach	Mittelbach	Medelsheim	3.
Mittelberbach	Limbach	Waldmohr	O.
Mittelbollenbach	Mittelbollenbach	Baumholder	B.
Mittelbrunn	Gerhardsbrunn	Landstuhl	3.
Mittelreidenbach	Schmitthachenb.	Grumbach	B.
Mittelstrimmig	Beilstein	Zell	Kz.
Mittlosheim	Weyerweiler	Wadern	B.
Möhlingen	Möhlingen	Otterberg	K.
Mölsbach	Trippstadt	Kaiserslautern	K.
Mölsheim	Mölsheim	Pfeddersheim	Sp.
Mombach	Budenheim	Oberingelheim	A.
Mommernheim	Mommernheim	Oppenheim	A.
Mondorf	Hilbringen	Merzig	T.
Monsheim	Monsheim	Pfeddersheim	Sp.
Monzelfeld	Bernkastel	Bernkastel	T.
Monzernheim	Monzernheim	Bechtheim	A.
Monzingen	Monzingen	Sobernheim	S.
Morbach	Kaulbach	Otterberg	K.
Morbach	Morbach	Rhaunen	B.

Gemeinde.	Burgermeisterei.	Kanton.	Kreis.
Morlautern	Kaiserslautern	Kaiserslautern	K.
Mörsch	Edigheim	Frankenthal	Sp.
Mörschbach	Rheinböllen	Simmern	S.
Mörschbach	Merscheid	Rhaunen	B.
Mörschbach	Großbundenbach	Homburg	Z.
Morscheid	Ruver	Ruver	T.
Morschheim	Morschheim	Kirchheimboland	A.
Morschied	Wirschweiler	Rhaunen	B.
Mörsdorf	Ebdenroth	Castellaun	S.
Mörsfeld	Mörsfeld	Kirchheimboland	A.
Morshausen	Burgen	Treis	Kz.
Mörstadt	Mörstadt	Pfeddersheim	Sp.
Mosberg	Walhausen	St. Wendel	O.
Moselweiß	Niederfell	Boppard	Kz.
Mühlbach	Bruchmühlbach	Landstuhl	Z.
Mühlbach a. d. Gl	Neunkirchen	Wolfstein	K.
Mühlfeld	Neunkirchen	Wadern	B.
Mühlheim	Albsheim	Grünstadt	Sp.
Mühlheim	Mühlheim	Bernkastel	T.
Mühlpfad	Pfalzfeld	St. Goar	S.
Münchwald	Wallhausen	Stromberg	S.
Münchweiler	Münchweiler	Waldmohr	H.
Münchweiler	Rodalben	Pirmasenz	Z.
Münchweiler	Münchweiler	Winnweiler	K.
Münchweiler	Eschbach	Annweiler	Z.
Münchwies	Werschweiler	Ottweiler	H.
Mundenheim	Mundenheim	Mutterstadt	Sp.
Münster	Waldalgesheim	Stromberg	S.
Münster	Hüffelsheim	Kreuznach	S.
Münsterappel	Niederhausen	Obermoschel	K.
Munzingen	Sinz	Saarburg	T.
Mußbach	Mußbach	Neustadt	Sp.
Mutterschied	Simmern	Simmern	S.
Mutterstadt	Mutterstadt	Mutterstadt	Sp.
Nack	Wendelsheim	Alzey	A.
Nackenheim	Bodenheim	Oppenheim	A.
Nalbach	Nalbach	Lebach	H.

Gemeinde.	Burgermeisterei.	Kanton.	Kreis.
Namborn	Tholey	Tholey	O.
Nannhausen	Unzenberg	Simmern	S.
Nanzweiler	Münchweiler	Waldmohr	O.
Nanzweiler	Obermohr	Landstuhl	3.
Naurath	Beuren	Neumagen	T.
Neef	Zell	Zell	Kz.
Neidenfels	Eßtahl	Neustadt	Sp.
Neipel	Limbach	Tholey	O.
Rennig	Rennig	Saarburg	T.
Nerzweiler	Hundheim	Lauterecken	K.
Neualtheim	Altaltheim	Medelsheim	3.
Neubamberg	Fürfeld	Wöllstein	A.
Neuerkirch	Simmern	Simmern	S.
Neufrankeneck	Eßtahl	Neustadt	Sp.
Neuhausen	Neuhausen	Pfeddersheim	Sp.
Neuhäusel	Limbach	Waldmohr	O.
Neuhemsbach	Münchweiler	Winnweiler	K.
Neuhofen	Neuhofen	Mutterstadt	Sp.
Neuhornbach	Neuhornbach	Neuhornbach	3.
Neuhütten	Hermeskeil	Hermeskeil	B.
Neuleiningen	Neuleiningen	Grünstadt	Sp.
Neumagen	Neumagen	Neumagen	T.
Neunkirch	Talling	Neumagen	T.
Neunkirchen	Neunkirchen	Wadern	B.
Neunkirchen	Neunkirchen	Ottweiler	O.
Neunkirchen	Neunkirchen	Wolfstein	K.
Neunkirchen	Alsenborn	Kaiserslautern	K.
Neustadt	Neustadt	Neustadt	Sp.
Ney	Halsenbach	Boppard	Kz.
Nickweiler	Unzenberg	Simmern	S.
Niederauerbach	Contwig	Zweybrücken	3.
Niederberbach	Limbach	Waldmohr	O.
Niederbrombach	Niederbrombach	Birkenfeld	B.
Niederburg	St. Goar	St. Goar	S.
Niederemmel	Niederemmel	Neumagen	T.
Niederfell	Niederfell	Boppard	Kz.
Niederflörsheim	Niederflörsheim	Pfeddersheim	Sp.
Niedergailbach	Walsheim	Medelsheim	3.

Gemeinde.	Burgermeisterei.	Kanton.	Kreis.
Niedergonders=hausen	Beulich	Treis	Rz.
Niederhausen	Hüffelsheim	Kreuznach	S.
Niederhausen	Niederhausen	Obermoschel	K.
Niederhausen	Winterbach	Zweibrücken	Z.
Niederheimbach	Niederheimbach	Bacharach	S.
Niederhilbersh.	Appenheim	Oberingelheim	A.
Niederhochstadt	Niederhochstadt	Germersheim	Sp.
Niederhofen	Limbach	Tholey	D.
Niederhofen	Bliesen	Tholey	D.
Niederhosenbach	Herrstein	Herrstein	B.
Niederingelheim	Niederingelheim	Oberingelheim	A.
Niederkirchen	Niederkirchen	St. Wendel	D.
Niederkirchen	Deidesheim	Dürkheim	Sp.
Niederkirchen	Niederkirchen	Otterberg	K.
Niederkostenz	Niederkostenz	Kirchberg	S.
Niederkumd	Simmern	Simmern	S.
Niederlinxweiler	Ottweiler	Ottweiler	D.
Niederlosheim	Losheim	Merzig	T.
Niederlustadt	Oberlustadt	Germersheim	Sp.
Niedermennig	Oberemmel	Conz	T.
Niedermisau	Obermisau	Waldmohr	D.
Niedermohr	Obermohr	Landstuhl	Z.
Niedermoschel	Obermoschel	Obermoschel	K.
Niederolm	Niederolm	Niederolm	A.
Niederperl	Perl	Saarburg	T.
Niedersalbach	Heusweiler	Lebach	D.
Niedersaubach	Lebach	Lebach	D.
Niedersaulheim	Niedersaulheim	Wörrstadt	A.
Niedersimbten	Simbten	Pirmasenz	Z.
Niedersohren	Sohren	Kirchberg	S.
Niederspay	Rhens	Boppard	Rz.
Niederstaufenb.	Bosenbach	Wolfstein	K.
Niedersteinbach	Niedersteinbach	Dahn	Z.
Niedert	Pfalzfeld	St. Goar	S.
Niederwörresb.	Herrstein	Herrstein	B.
Niederweiler	Sohren	Kirchberg	S.
Niederweinheim	Wallertheim	Wörrstadt	A.

Gemeinde.	Burgermeisterei.	Kanton.	Kreis.
Niederwiesen	Niederwiesen	Alzey	A.
Niederwürtzbach	Blieskastel	Blieskastel	O.
Niederzerf	Zerf	Saarburg	T.
Niefernheim	Harxheim	Göllheim	R.
Nierstein	Nierstein	Oppenheim	A.
Nittel	Nittel	Conz	T.
Nockenthal	Niederbrombach	Birkenfeld	B.
Nohebollenbach	Mittelbollenbach	Baumholder	B.
Nohefelden	Nohefelden	Baumholder	B.
Nohen	Reichenbach	Baumholder	B.
Nohn	Orscholz	Merzig	T.
Nonnweiler	Hermeskeil	Hermeskeil	B.
Norath	Pfalzfeld	St. Goar	E.
Norheim	Hüffelsheim	Kreuznach	E.
Nörtershausen	Niederfell	Boppard	Kz.
Noswendel	Wadern	Wadern	B.
Nothweiler	Schönau	Pirmasenz	Z.
Numborn	Heusweiler	Lebach	O.
Nunkirchen	Weyerweiler	Wadern	B.
Nünschweiler	Nünschweiler	Pirmasenz	Z.
Nußbach	Becherbach	Lauterecken	R.
Nußbaum	Monzingen	Sobernheim	S.
Oberalben	Ulmeth	Cusel	B.
Oberarnbach	Gehrhardsbrunn	Landstuhl	Z.
Oberauerbach	Contwig	Zweybrücken	Z.
Oberberbach	Limbach	Waldmohr	O.
Oberbillig	Wasserlisch	Conz	T.
Oberbrombach	Niederbrombach	Birkenfeld	B.
Oberdiebach	Bacharach	Bacharach	S.
Oberemmel	Oberemmel	Conz	T.
Oberfell	Niederfell	Boppard	Kz.
Oberflörsheim	Oberflörsheim	Pfeddersheim	Sp.
Obergonders= hausen	Beulich	Treis	Kz.
Oberhausen	Schmittshausen	Zweibrücken	Z.
Oberhausen	Niederhausen	Obermoschel	R.
Oberhausen	Duchroth	Obermoschel	R.

Gemeinde.	Burgermeisterei.	Kanton.	Kreis.
Oberhausen	Kirn	Kirn	S.
Oberheimbach	Niederheimbach	Bacharach	S.
Oberhilbersheim	Oberhilbersheim	Wörrstadt	A.
Oberhochstadt	Oberhochstadt	Germersheim	Sp.
Oberhosenbach	Hottenbach	Herrstein	B.
Oberingelheim	Oberingelheim	Oberingelheim	A.
Oberjeckenbach	Sien	Grumbach	B.
Oberkirchen	Oberkirchen	St. Wendel	H.
Oberkirn	Rhaunen	Rhaunen	B.
Oberkleinig	Rhaunen	Rhaunen	B.
Oberkostenz	Niederkostenz	Kirchberg	S.
Oberleuken	Perl	Saarburg	T.
Oberlinxweiler	St. Wendel	St. Wendel	H.
Oberlöstern	Wadern	Wadern	B.
Oberlustadt	Oberlustadt	Germersheim	Sp.
Obermisau	Obermisau	Waldmohr	H.
Obermohr	Obermohr	Landstuhl	Z.
Obermorschholz	Wadern	Wadern	B.
Obermoschel	Obermoschel	Obermoschel	K.
Oberndorf	Alsenz	Obermoschel	K.
Obernheim	Gerhardsbrunn	Landstuhl	Z.
Oberolm	Oberolm	Niederolm	A.
Oberperl	Perl	Saarburg	T.
Oberreidenbach	Sien	Grumbach	B.
Obersalbach	Heusweiler	Lebach	H.
Obersaulheim	Niedersaulheim	Wörrstadt	A.
Oberschlettenbach	Oberschlettenb.	Annweiler	Z.
Obersimbten	Simbten	Pirmasenz	Z.
Oberspay	Rhens	Boppard	Kz.
Oberstaufenbach	Bosenbach	Wolfstein	K.
Oberstein	Oberstein	Herrstein	B.
Obersteinbach	Obersteinbach	Pirmasenz	Z.
Oberstreit	Sobernheim	Sobernheim	S.
Obersülzen	Laumersheim	Grünstadt	Sp.
Oberthailen	Weyerweiler	Wadern	B.
Oberthal	Bliesen	Tholey	H.
Obertiefenbach	Herrstein	Herrstein	B.
Oberweiler	Eßweiler	Wolfstein	K.

5

Gemeinde.	Burgermeisterei.	Kanton.	Kreis.
Oberwesel	Oberwesel	Bacharach	S.
Oberwiesen	Orbis	Kirchheimboland	A.
Oberwörresbach	Herrstein	Herrstein	B.
Oberwürzbach	St. Imbert	Blieskastel	D.
Oberzerf	Zerf	Saarburg	T.
Obrigheim	Obrigheim	Grünstadt	Sp.
Ockenheim	Ockenheim	Bingen	A.
Ocksen	Irsch	Saarburg	T.
Odenbach	Odenbach	Lauterecken	K.
Odernheim	Odernheim	Alzey	A.
Odernheim	Odernheim	Obermoschel	K.
Odert	Morbach	Rhaunen	B.
Oest	Orscholz	Merzig	T.
Offenbach	Offenbach	Edenkoben	Sp.
Offenbach	Offenbach	Grumbach	B.
Offenheim	Offenheim	Alzey	A.
Offstein	Offstein	Pfeddersheim	Sp.
Oggersheim	Oggersheim	Mutterstadt	Sp.
Ohlweiler	Ohlweiler	Simmern	S.
Ohmbach	Konken	Cusel	B.
Olewig	Trier	Trier	T.
Olmuth	Schöndorf	Conz	T.
Olzbrücken	Katzweiler	Otterberg	K.
Omersheim	Ensheim	Blieskastel	D.
Oppau	Oppau	Frankenthal	Sp.
Oppen	Wahlen	Merzig	T.
Oppenhausen	Niederfell	Boppard	Kz.
Oppenheim	Oppenheim	Oppenheim	A.
Oppertshausen	Kirchberg	Kirchberg	S.
Orbis	Orbis	Kirchheimboland	A.
Ormesheim	Bliesmengen	Blieskastel	D.
Orscholz	Orscholz	Merzig	T.
Osburg	Farschweiler	Hermeskeil	B.
Ossenbach	Bliesen	Tholey	D.
Osterbrücken	Niederkirchen	St. Wendel	D.
Osthofen	Osthofen	Bechtheim	A.
Otterbach	Otterbach	Otterberg	K.
Otterberg	Otterberg	Otterberg	K.

Gemeinde.	Burgermeisterei.	Kanton.	Kreis.
Ottersheim	Ottersheim	Germersheim	Sp.
Ottersheim	Ottersheim	Göllheim	K.
Otterstadt	Otterstadt	Speyer	Sp.
Ottweiler	Ottweiler	Ottweiler	O.
Otzenhausen	Otzenhausen	Hermeskeil	B.
Otzweiler	Schmitthachenb.	Grumbach	B.
Pallastmahr	Trier	Trier	T.
Palzem	Sinz	Saarburg	T.
Pantzweiler	Gemünden	Kirchberg	S.
Pantzweiler	Blankenrath	Zell	Kz.
Partenheim	Partenheim	Wörrstadt	A.
Patersbach	Ulmeth	Cusel	B.
Pellingen	Oberemmel	Conz	T.
Pepekum	Medelsheim	Medelsheim	Z.
Perschied	Wiebelsheim	Bacharach	S.
Petersbächel	Obersteinbach	Pirmasenz	Z.
Petersberg	Rodalben	Pirmasenz	Z.
Peterswald	Blankenrath	Zell	Kz.
Pfaffenschwabenh.	Badenheim	Wöllstein	A.
Pfalzfeld	Pfalzfeld	St. Goar	S.
Pfeddersheim	Pfeddersheim	Pfeddersheim	Sp.
Pfeffelbach	Burglichtenberg	Cusel	B.
Pfeffingen	Ungstein	Dürkheim	Sp.
Pferdsfeld	Winterburg	Sobernheim	S.
Pfiffligheim	Pfiffligheim	Pfeddersheim	Sp.
Piesbach	Nalbach	Lebach	O.
Pinsweiler	Walhausen	St. Wendel	O.
Pirmasenz	Pirmasenz	Pirmasenz	Z.
Planig	Planig	Wöllstein	A.
Pleitersheim	Badenheim	Wöllstein	A.
Pleitzenhausen	Simmern	Simmern	S.
Pluwig	Schöndorf	Conz	T.
Pölert	Hermeskeil	Hermeskeil	B.
Pörrbach	Jettenbach	Wolfstein	K.
Porz	Meurig	Saarburg	T.
Potzbach	Winnweiler	Winnweiler	K.
Prinsweiler	Lebach	Lebach	O.

Gemeinde.	Burgermeisterei.	Kanton.	Kreis.
Prostert	Beuren	Neumagen	T.S.
Pünderich	Enkirch	Trarbach	
Queichhambach	Annweiler	Annweiler	Z.
Queidersbach	Queidersbach	Landstuhl	Z.
Quirnbach	Quirnbach	Cusel	B.
Quirnheim	Quirnheim	Grünstadt	Sp.
Rachtig	Zeltingen	Bernkastel	T.
Raidenhausen	Blankenrath	Zell	Kz.
Ramberg	Ramberg	Annweiler	Z.
Ramsen	Ramsen	Göllheim	Z.
Ramstein	Ramstein	Landstuhl	Z.
Ranschbach	Artzheim	Annweiler	Z.
Ransweiler	Ransweiler	Rockenhausen	B.
Rapperath	Morbach	Rhaunen	B.
Rappweiler	Weyerweiler	Wadern	B.
Rascheid	Hermeskeil	Hermeskeil	B.
Raßweiler	Uchtelfangen	Ottweiler	K.
Rathskirchen	Hefersweiler	Wolfstein	B.
Rathsweiler	Ulmeth	Cusel	B.
Raumbach	Cusel	Cusel	B.
Raumbach	Meisenheim	Meisenheim	S.
Ravengiersburg	Ohlweiler	Simmern	S.
Raversbeuren	Trarbach	Trarbach	S.
Rayersschied	Simmern	Simmern	S.
Reckershausen	Niederkosteuz	Kirchberg	B.
Regelshausen	Fischbach	Herrstein	S.
Rehbach	Winterburg	Sobernheim	K.
Rehborn	Odernheim	Obermoschel	Z.
Rehlingen	Sinz	Saarburg	B.
Rehweiler	Quirnbach	Cusel	B.
Reich	Untzenberg	Simmern	S.
Reichenbach	Reichenbach	Landstuhl	Z.
Reichenbach	Reichenbach	Baumholder	B.
Reichsthal	Hefersweiler	Wolfstein	K.
Reichweiler	Burglichtenberg	Cusel	B.
Reichweiler	Walhausen	St. Wendel	O.

Gemeinde.	Burgermeisterei.	Kanton.	Kreis.
Reidscheid	Oberkirchen	St. Wendel	O.
Reifelbach	Odenbach	Lauterecken	K.
Reifenberg	Schmittshausen	Zweybrücken	Z.
Reimig	Wasserlisch	Conz	T.
Reinfeld	Hermeskeil	Hermeskeil	B.
Reinheim	Herbitzheim	Blieskastel	O.
Reipolskirchen	Becherbach	Lauterecken	K.
Reischbach	Obermohr	Landstuhl	Z.
Reiskirchen	Homburg	Homburg	Z.
Reisweiler	Saarwellingen	Lebach	Z.
Remmesweiler	Urerweiler	Ottweiler	O.
Rhaunen	Rhaunen	Rhaunen	O.
Rheinböllen	Simmern	Simmern	B.
Rheindürkheim	Rheindürkheim	Bechtheim	S.
Rheingönheim	Neuhofen	Mutterstadt	A.
Rhens	Rhens	Boppard	Sp.
Rhodt	Rhodt	Edenkoben	Kz.
Riedelberg	Großsteinhausen	Neuhornbach	Sp.
Riedenburg	Wirschweiler	Rhaunen	Z.
Riegenroth	Laubach	Simmern	B.
Rieschweiler	Brenschelbach	Neuhornbach	S.
Rieschweiler	Maßweiler	Zweybrücken	Z.
Riesweiler	Argenthal	Simmern	Z.
Rimmelingen	Wahlen	Merzig	S.
Rimsberg	Birkenfeld	Birkenfeld	T.
Rimschweiler	Rimschweiler	Neuhornbach	B.
Rinthal	Wilgartswiesen	Annweiler	Z.
Rinzenberg	Birkenfeld	Birkenfeld	Z.
Riol	Longuich	Ruver	B.
Rissenthal	Wahlen	Merzig	T.
Rittershofen	Heusweiler	Lebach	L.
Rittersheim	Gauersheim	Kirchheimboland	O.
Riveris	Ruver	Ruver	A.
Rockenhausen	Rockenhausen	Rockenhausen	L.
Rodalben	Rodalben	Pirmasenz	K.
Rodenbach	Weilerbach	Kaiserslautern	Z.
Rodenbach	Kerzenheim	Göllheim	K.
Röbelhausen	Blankenrath	Zell	K.
			Kz.

Gemeinde.	Bürgermeisterei.	Kanton.	Kreis.
Röddern	Kirchberg	Kirchberg	S.
Rödersheim	Rödersheim	Dürkheim	Sp.
Röhrig	Dürkheim	Dürkheim	Sp.
Rölsberg	Hefersweiler	Wolfstein	K.
Rohrbach	Gemünden	Kirchberg	S.
Rohrbach	Berschweiler	Baumholder	B.
Rohrbach	Lonsfeld	Winnweiler	K.
Rohrbach	St. Imbert	Blieskastel	O.
Rommelfangen	Meurig	Saarburg	T.
Ronneberg	Baumholder	Baumholder	B.
Rorodt	Thalfang	Hermeskeil	B.
Rosberg	Oberkirchen	St. Wendel	O.
Roschbach	Burrweiler	Edenkoben	Sp.
Rosenkopf	Käshofen	Homburg	Z.
Rößbach	Rothselberg	Wolfstein	K.
Roth	Becherbach	Lauterecken	K.
Roth	Stromberg	Stromberg	S.
Roth	Göbenroth	Castellaun	S.
Rothselberg	Rothselberg	Wolfstein	K.
Rötzweiler	Niederbrombach	Birkenfeld	B.
Rorheim	Mandel	Kreuznach	S.
Rorheim	Bobenheim a. R.	Frankenthal	S.
Rübenheim	Herbitzheim	Blieskastel	O.
Rudelsheim	Oppenheim	Oppenheim	A.
Rüdesheim	Mandel	Kreuznach	S.
Rudolphskirchen	Hefersweiler	Wolfstein	K.
Rugheim	Rugheim	Mutterstadt	Sp
Rukweiler	Berschweiler	Baumholder	B.
Rumbach	Schönau	Pirmasenz	Z.
Rummelbach	Lebach	Lebach	O.
Rümmelsheim	Waldalgesheim	Stromberg	S.
Ruppertsberg	Ruppertsberg	Neustadt	Sp
Ruppertsecken	Gerbach	Kirchheimboland	A.
Ruppertsweiler	Pirmasenz	Pirmasenz	Z.
Ruschberg	Reichenbach	Baumholder	B.
Rüssingen	Göllheim	Göllheim	K.
Ruthweiler	Burglichtenberg	Cusel	B.
Rutzweiler a.d.Gl	Neunkirchen	Wolfstein	K.

Gemeinde.	Burgermeisterei.	Kanton.	Kreis.
Antzweiler a.d. L.	Rothselberg	Wolfstein	K.
Ruver	Ruver	Ruver	T.
Saal	Niederkirchen	Ottweiler	O.
Saalstadt	Herschberg	Waldfischbach	Z.
Saarburg	Saarburg	Saarburg	T.
Saarholzbach	Besseringen	Merzig	T.
Saarwellingen	Saarwellingen	Lebach	O.
Sabershausen	Göddenroth	Castellaun	S.
Salzig	Boppard	Boppard	Kz.
Sambach	Otterbach	Otterberg	K.
Sand	Schöneberg	Waldmohr	O.
Sargenroth	Ohlweiler	Simmern	S.
Sarmsheim	Waldalgesheim	Stromberg	S.
Sarnstal	Annweiler	Annweiler	Z.
Sauerschwabenh	Sauerschwabenh.	Oberingelheim	A.
Sauscheid	Hermeskeil	Hermeskeil	B.
Sausenheim	Sausenheim	Grünstadt	Sp.
Schallodenbach	Heiligenmoschel	Otterberg	K.
Schauenheim	Alsheim	Mutterstadt	Sp.
Schauerberg	Herschberg	Waldfischbach	Z.
Schauern	Hottenbach	Herrstein	B.
Schauren	Blankenrath	Zell	Kz.
Scheiden	Losheim	Merzig	T.
Schellenbach	Eppelborn	Tholey	O.
Schellweiler	Cusel	Cusel	B.
Scheuren	Limbach	Tholey	O.
Schiersfeld	Obermoschel	Obermoschel	K.
Schifferstadt	Schifferstadt	Speyer	Sp.
Schiffweiler	Steinweiler	Ottweiler	O.
Schillingen	Kell	Hermeskeil	B.
Schimsheim	Armsheim	Wörrstadt	A.
Schindhard	Schindhard	Dahn	Z.
Schlierschied	Gemünden	Kirchberg	S.
Schmalenberg	Hettersberg	Waldfischbach	Z.
Schmisberg	Birkenfeld	Birkenfeld	B.
Schmitshausen	Schmitshausen	Zweybrücken	Z.
Schmitthachenb.	Schmitthachenb.	Grumbach	B.

Gemeinde.	Burgermeisterei	Kanton.	Kreis.
Schmittweiler	Schöneberg	Waldmohr	O.
Schnittweiler	Odenbach	Lautereken	R.
Schnekenhausen	Heiligenmoschel	Otterberg	R.
Schnorrbach	Argenthal	Simmern	S.
Schoden	Irsch	Saarburg	T.
Schömerich	Zerf	Saarburg	T.
Schönau	Schönau	Pirmasenz	3.
Schönberg	Talling	Neumagen	T.
Schönborn	Kirchberg	Kirchberg	S.
Schönborn	Ransweiler	Rockenhausen	R.
Schöndorf	Schöndorf	Conz	T.
Schöneberg	Schöneberg	Waldmohr	O.
Schöneberg	Stromberg	Stromberg	S.
Schopp	Waldfischbach	Waldfischbach	3.
Schornsheim	Schornsheim	Wörrstadt	A.
Schrollbach	Obermohr	Landstuhl	3.
Schwabsburg	Schwabsburg	Oppenheim	A.
Schwanden	Obermohr	Landstuhl	3.
Schwanheim	Schwanheim	Annweiler	3.
Schwarzen	Niederkostenz	Kirchberg	S.
Schwarzenacker	Homburg	Homburg	3.
Schwarzenbach	Homburg	Homburg	3.
Schwarzenbach	Otzenhausen	Hermeskeil	V.
Schwarzenholz	Saarwellingen	Lebach	L.
Schwarzerden	Burglichtenberg	Cusel	B.
Schwarzerden	Monzingen	Sobernheim	S.
Schwarzhof	Walhausen	St. Wendel	O.
Schwedelbach	Reichenbach	Landstuhl	3.
Schwegenheim	Schwegenheim	Germersheim	Sp.
Schweinschied	Meisenheim	Meisenheim	B.
Schweisweiler	Winnweiler	Winnweiler	R.
Schweix	Trulben	Pirmasenz	3.
Schwemlingen	Hilbringen	Merzig	T.
Schweppenhaus.	Kirn	Kirn	S.
Schweppenhaus.	Windesheim	Stromberg	S.
Schwerbach	Rhaunen	Rhaunen	B.
Schwollen	Leisel	Birkenfeld	B.
Seebach	Dürkheim	Dürkheim	Sp.

Gemeinde.	Burgermeisterei.	Kanton.	Kreis.
Seelen	Hefersweiler	Wolfstein	K.
Seesbach	Monzingen	Sobernheim	S.
Sehndorf	Perl	Saarburg	T.
Seibersbach	Stromberg	Stromberg	S.
Selbach	Blieskastel	Blieskastel	H.
Selchenbach	Konken	Cusel	B.
Sellbach	Neunkirchen	Wadern	B.
Selsen	Selsen	Oppenheim	A.
Sembach	Lonsfeld	Winnweiler	K.
Senheim	Beilstein	Zell	Kz.
Sensweiler	Wirschweiler	Rhaunen	B.
Sevenich	Gödenroth	Castellaun	S.
Serrig	Irsch	Saarburg	T.
Seyweiler	Medelsheim	Medelsheim	Z.
Siebeldingen	Siebeldingen	Annweiler	Z.
Siedlingen	Sinz	Saarburg	T.
Siefersheim	Siefersheim	Wöllstein	A.
Siegelbach	Weilerbach	Kaiserslautern	K.
Sien	Sien	Grumbach	B.
Sienhachenbach	Sien	Grumbach	B.
Siesbach	Leisel	Birkenfeld	B.
Siltz	Schwanheim	Annweiler	Z.
Silwingen	Hilbringen	Merzig	T.
Simmern	Simmern	Simmern	S.
Simmern u. Dh.	Monzingen	Sobernheim	S.
Sinz	Sinz	Saarburg	T.
Sippersfeld	Münchweiler	Winnweiler	K.
Sitters	Obermoschel	Obermoschel	K.
Sitzerath	Neunkirchen	Wadern	B.
Sobernheim	Sobernheim	Sobernheim	S.
Sohren	Sohren	Kirchberg	S.
Sommerloch	Wallhausen	Stromberg	S.
Sondernheim	Sondernheim	Germersheim	Sp.
Sonneberg	Niederbrombach	Birkenfeld	B.
Sonschied	Herrstein	Herrstein	B.
Sörgenloch	Zornheim	Niederolm	A.
Sorschied	Dill	Kirchberg	S.
Sosberg	Blankenrath	Zell	Kz.

6

Gemeinde.	Burgermeisterei.	Kanton.	Kreis.
Ebst	Saarburg	Saarburg	T.
Ebtern	Otzenhausen	Hermeskeil	B.
Eczweiler	Tholey	Tholey	O.
Epabrücken	Wallhausen	Stromberg	S.
Epall	Wallhausen	Stromberg	S.
Epesbach	Hütschenhausen	Landstuhl	Z.
Epessenroth	Castellaun	Castellaun	S.
Epeyer	Speyer	Speyer	Sp.
Epeyerdorf	Lachen	Neustadt	Sp.
Epiesen	Neunkirchen	Ottweiler	O.
Epiesheim	Epiesheim	Wörrstadt	A.
Epirkelbach	Willgartswiesen	Annweiler	Z.
Sponheim	Sobernheim	Sobernheim	S.
Sponsheim	Grolsheim	Bingen	A.
Eprendlingen	Eprendlingen	Wöllstein	A.
Stadecken	Stadecken	Niederolm	A.
Stahlberg	Ransweiler	Rockenhausen	K.
Stambach	Contwig	Zweibrücken	Z.
Standebühl	Dreisen	Göllheim	K.
Starkenburg	Trarbach	Trarbach	S.
Stätten	Gauersheim	Kirchheim:boland	A.
Staudernheim	Meddersheim	Meisenheim	B.
Stauff	Ramsen	Göllheim	K.
Steckweiler	Dielkirchen	Rockenhausen	K.
Steeg	Bacharach	Bacharach	S.
Steegen	Reichenbach	Landstuhl	Z.
Stein	Schwanheim	Annweiler	Z.
Steinalben	Hettersbach	Waldfischbach	Z.
Steinbach	Imsbach	Winnweiler	K.
Steinbach	Laubach	Simmern	S.
Steinbach	Eppelborn	Tholey	O.
Steinbach	Münchweiler	Waldmohr	O.
Steinbach	Werschweiler	Ottweiler	O.
Steinberg	Walhausen	St. Wendel	O.
Steinberg	Weyerweiler	Wadern	B.
Steinbockenheim	Wonsheim	Wöllstein	A.
Steingruben	Dielkirchen	Rockenhausen	K.
Steinwenden	Obermohr	Landstuhl	Z.

Gemeinde.	Burgermeisterei.	Kanton.	Kreis.
Stelzenberg	Trippstadt	Kaiserslautern	K.
Stennweiler	Stennweiler	Ottweiler	O.
Striepshausen	Rhaunen	Rhaunen	B.
Stockborn	Weilerbach	Kaiserslautern	K.
Straßmahr	Trier	Trier	T.
Stromberg	Stromberg	Stromberg	S.
Studernheim	Oppau	Frankenthal	Sp.
Sulzbach	Grumbach	Grumbach	B.
Sulzbach	Katzweiler	Otterberg	K.
Sulzbach	Rhaunen	Rhaunen	B.
Sulzbach	Fischbach	Herrstein	B.
Sulzheim	Vendersheim	Wörrstadt	A.
Taben	Freudenburg	Saarburg	T.
Talling	Talling	Neumagen	T.
Tarforst	Irsch	Conz	T.
Tautweiler	Theley	St. Wendel	O.
Tawern	Conz	Conz	T.
Tellig	Blankenrath	Zell	Kz.
Teschenmoschel	Bisterschied	Rockenhausen	K.
Tettingen	Perl	Saarburg	T.
Thalböckelheim	Sobernheim	Sobernheim	S.
Thaleschweiler	Taleschweiler	Pirmasenz	Z.
Thalerweiler	Eppelborn	Tholey	H.
Thalfang	Thalfang	Hermeskeil	B.
Thalfröschen	Thaleschweiler	Pirmasenz	Z.
Thallichtenberg	Burglichtenberg	Cusel	B.
Theley	Theley	St. Wendel	O.
Tholey	Tholey	Tholey	O.
Thomm	Farschweiler	Hermeskeil	B.
Thörlingen	Pfaldsfeld	St. Goar	S.
Thörnich	Leiwen	Neumagen	T.
Thron	Neumagen	Neumagen	T.
Tiefeln	Nalbach	Lebach	O.
Tiefenbach	Ohlweiler	Simmern	S.
Tiefenbach	Wolfstein	Wolfstein	K.
Tiefenbach	Fischbach	Herrstein	B.

Gemeinde.	Burgermeisterei.	Kanton.	Kreis.
Tieffenthal	Fürfeld	Wöllstein	A.
Tieffenthal	Tieffenthal	Grünstadt	Sp.
Timmels	Nittel	Conz	T.
Tinsdorf	Orscholz	Merzig	T.
Todenroth	Niederkostenz	Kirchberg	S.
Trahweiler	Quirnbach	Cusel	B.
Traisen	Hüffelsheim	Kreuznach	S.
Trarbach	Trarbach	Trarbach	S.
Trassem	Saarburg	Saarburg	T.
Traunen	Achtelsbach	Birkenfeld	B.
Trechtingshaus.	Niederheimbach	Bacharach	S.
Treis	Treis	Treis	Kz.
Trier	Trier	Trier	T.
Trippstadt	Trippstadt	Kaiserslautern	K.
Troneken	Thalfang	Hermeskeil	B.
Trulben	Trulben	Pirmasenz	Z.
Uchtelfangen	Uchtelfangen	Ottweiler	O.
Udenhausen	Rhens	Boppard	Kz.
Udenheim	Schornsheim	Wörrstadt	A.
Ueberhofen	Heusweiler	Lebach	O.
Ueberoth	Neunkirchen	Wadern	B.
Uffhofen	Flonheim	Alzey	A.
Uhler	Göddenroth	Castellaun	S.
Ulmeth	Ulmeth	Cusel	B.
Undenheim	Undenheim	Wörrstadt	A.
Ungstein	Ungstein	Dürkheim	Sp.
Unkenbach	Obermoschel	Obermoschel	K.
Unterjeckenbach	Sien	Grumbach	B.
Untermorschholz	Wadern	Wadern	B.
Unterschlettenb.	Unterschlettenb.	Dahn	Z.
Unterthailen	Weyerweiler	Wadern	B.
Unterweiler.	Wolfstein	Wolfstein	K.
Unzenberg	Unzenberg	Simmern	S.
Urbar	St. Goar	St. Goar	S.
Urexweiler	Urexweiler	Ottweiler	O.
Urweiler	St. Wendel	St. Wendel	O.
Utweiler	Brenschelbach	Neuhornbach	Z.

Gemeinde.	Burgermeisterei.	Kanton.	Kreis.
Utzenheim	St. Goar	St. Goar	S.
Valwig	Beilstein	Zell	Kz.
Veldenz	Mühlheim	Bernkastel	Z.
Vendersheim	Vendersheim	Wörrstadt	A.
Venningen	Venningen	Edenkoben	Sp.
Vinningen	Vinningen	Pirmasenz	Z.
Vogelbach	Bruchmühlbach	Landstuhl	Z.
Völkenroth	Castellaun	Castellaun	S.
Völkersweiler	Schwanheim	Annweiler	Z.
Vollmersbach	Oberstein	Herrstein	V.
Volxheim	Freylaubersheim	Wöllstein	A.
Vorderweidenth.	Oberschlettenb.	Annweiler	Z.
Wachenheim an der Haardt	Wachenheim an der Haardt	Dürkheim	Sp.
Wachenheim an der Pfrim	Wachenheim an der Pfrim	Pfeddersheim	Sp.
Wackernheim	Heidesheim	Oberingelheim	A.
Wadern	Wadern	Wadern	V.
Wadrill	Wadern	Wadern	V.
Wahlalben	Herschberg	Waldfischbach	Z.
Wahlbach	Simmern	Simmern	S.
Wahlen	Wahlen	Merzig	Z.
Wahlenau	Sohren	Kirchberg	S.
Wahlheim	Freimersheim	Alzey	A.
Waldalgesheim	Waldalgesheim	Stromberg	S.
Waldböckelheim	Sobernheim	Sobernheim	S.
Walderbach	Stromberg	Stromberg	S.
Waldesch *	Rhens	Boppard	Kz.
Waldfischbach	Waldfischbach	Waldfischbach	Z.
Waldgrehweiler	Waldgrehweiler	Rockenhausen	K.
Waldhambach	Eschbach	Annweiler	Z.
Waldhilbersheim	Windesheim	Stromberg	S.
Waldhilbersheim	Weinolsheim	Oppenheim	A.
Waldholzbach	Losheim	Merzig	Z.
Waldlaubersh.	Windesheim	Stromberg	S.
Waldleiningen	Hochspeyer	Kaiserslautern	K.

Gemeinde.	Burgermeisterei.	Kanton.	Kreis.
Waldmohr	Waldmohr	Waldmohr	O.
Waldrach	Ruver	Ruver	T.
Waldrohrbach	Eschbach	Annweiler	Z.
Waldsee	Waldsee	Speyer	Sp.
Waldweiler	Kell	Hermeskeil	B.
Walhausen	Walhausen	St. Wendel	O.
Walhausen	Blankenrath	Zell	Kz.
Wallertheim	Wallertheim	Wörrstadt	A.
Wallhausen	Wallhausen	Stromberg	S.
Walpershofen	Heusweiler	Lebach	O.
Walschied	Heusweiler	Lebach	O.
Walshausen	Grossteinhausen	Neuhornbach	Z.
Walsheim	Walsheim	Medelsheim	Z.
Walsheim	Böchingen	Edenkoben	Sp.
Banwegen	Quirnbach	Cusel	B.
Warmsroth	Stromberg	Stromberg	S.
Wartenberg	Lonsfeld	Winnweiler	K.
Wasserlisch	Wasserlisch	Conz	T.
Wattenheim	Wattenheim	Grünstadt	Sp.
Wattweiler	Webenheim	Medelsheim	Z.
Waxern	Conz	Conz	T.
Webenheim	Webenheim	Medelsheim	Z.
Wechingen	Orscholz	Merzig	T.
Wederath	Morbach	Rhaunen	B.
Wedern	Wadern	Wadern	B.
Wehr	Rennig	Saarburg	T.
Weiden	Hottenbach	Herrstein	B.
Weidenthal	Weidenthal	Neustadt	Sp.
Weiler	Waldalgesheim	Stromberg	S.
Weiler	Monzingen	Sobernheim	S.
Weiler	Boppard	Boppard	Kz.
Weiler	Hilbringen	Merzig	T.
Weiler	Rennig	Saarburg	T.
Weilerbach	Weilerbach	Kaiserslautern	K.
Weilerbach	Tholey	Tholey	O.
Weingarten	Weingarten	Germersheim	Sp.
Weingerath	Morbach	Rhaunen	B.
Weinheim	Weinheim	Alzey	A.

Gemeinde.	Burgermeisterei.	Kanton.	Kreis.
Weinolsheim	Weinolsheim	Oppenheim	A.
Weinsheim	Wiesoppenheim	Pfeddersheim	Sp.
Weinsheim	Hüffelsheim	Kreuznach	S.
Weißkirchen	Weyerweiler	Wadern	B.
Weissenau	Laubenheim	Niederolm	A.
Weissenheim a. B	Weissenheim a. B	Dürkheim	Sp.
Weissenheim a. S	Weissenheim a. S	Frankenthal	Sp.
Weiten	Orscholz	Merzig	T.
Weitersbach	Rhaunen	Rhaunen	B.
Weitersborn	Monzingen	Sobernheim	S.
Weitersweiler	Draysen	Göllheim	K.
Weitzroth	Herrstein	Herrstein	B.
Welchweiler	Horschbach	Wolfstein	K.
Wellesweiler	Neunkirchen	Ottweiler	O.
Wellingen	Hilbringen	Merzig	T.
Welschbach	Stennweiler	Ottweiler	O.
Weltersbach	Obermohr	Landstuhl	Z.
Wemmetsweiler	Uchtelfangen	Ottweiler	O.
Wendel St.	St. Wendel	St. Wendel	O.
Wendelsheim	Wendelsheim	Alzey	A.
Werlau	St. Goar	St. Goar	S.
Wernersberg	Annweiler	Annweiler	Z.
Werschbach	Kaulbach	Otterberg	K.
Werschweiler	Blieskastel	Blieskastel	O.
Werschweiler	Werschweiler	Ottweiler	O.
Weselberg	Zeselberg	Waldfischbach	Z.
Westheim	Lingenfeld	Germersheim	Sp.
Westhofen	Westhofen	Bechtheim	A.
Wethshausen	Werschweiler	Ottweiler	O.
Weyerbach	Schmitthachenb.	Grumbach	B.
Weyerbach	Fischbach	Herrstein	B.
Weyersbach	Birkenfeld	Birkenfeld	B.
Weyerweiler	Weyerweiler	Wadern	B.
Weyher	Weyher	Edenkoben	Sp.
Weyperath	Merschied	Rhaunen	B.
Wiebelsheim	Wiebelsheim	Bacharach	S.
Wiebelskirchen	Ottweiler	Ottweiler	O.
Wies	Nennig	Saarburg	T.

293

Gemeinde.	Burgermeisterei.	Kanton.	Kreis.
Wiesbach	Dirmingen	Lebach	O.
Wieselbach	Mittelbollenbach	Baumholder	B.
Wiesoppenheim	Wiesoppenheim	Pfeddersheim	Sp.
Wiesweiler	Offenbach	Grumbach	B.
Wießbach	Käshofen	Homburg	Z.
Wikenrodt	Hottenbach	Herrstein	B.
Wildingen	Canzem	Conz	T.
Willgartswiesen	Willgartswiesen	Annweiler	Z.
Wilzenberg	Leisel	Birkenfeld	B.
Winchringen	Nittel	Conz	T.
Windesheim	Windesheim	Stromberg	S.
Winnweiler	Winnweiler	Winnweiler	K.
Winsberg	Pirmasenz	Pirmasenz	Z.
Winterbach	Winterbach	Zweibrücken	Z.
Winterbach	Winterburg	Sobernheim	S.
Winterborn	Niederhausen	Obermoschel	K.
Winterburg	Winterburg	Sobernheim	S.
Winterich	Mühlheim	Bernkastel	T.
Wintersheim	Dolgesheim	Oppenheim	A.
Winzlen	Vinningen	Pirmasenz	Z.
Winzenheim	Langenlohnsh.	Kreuznach	S.
Winzingen	Winzingen	Neustadt	Sp
Wirschweiler	Wirschweiler	Rhaunen	B.
Wittersheim	Bliesmengen	Blieskastel	O.
Wolf	Zeltingen	Bernkastel	T.
Wolfersheim	Blieskastel	Blieskastel	O.
Wolfersweiler	Nohefelden	Baumholder	B.
Wolfsheim	Wolfsheim	Wörrstadt	A.
Wolfstein	Wolfstein	Wolfstein	K.
Wölgesheim	Zotzenheim	Wöllstein	A.
Wöllstein	Wöllstein	Wöllstein	A.
Wölzburg	Mohrbach	Rhaunen	B.
Womrath	Dill	Kirchberg	S.
Wonroth	Castellaun	Castellaun	S.
Wonsheim	Wonsheim	Wöllstein	A.
Woppenroth	Gemünden	Kirchberg	S.
Worms	Worms	Worms	Sp.
Wörrstadt	Wörrstadt	Wörrstadt	A.

Gemeinde.	Burgermeisterei.	Kanton.	Kreis.
Wuchern	Borg	Saarbrug	T.
Würrich	Niederkostenz	Kirchberg	S.
Würtzweiler	Gaugrehweiler	Rockenhausen	R.
Wüschheim	Unzenberg	Simmern	S.
Wustweiler	Uchtelfangen	Ottweiler	O.
Zaubach	Schmitthachenb.	Grumbach	B.
Zeiskam	Zeiskam	Germesheim	Sp.
Zell	Zell	Zell	Kr.
Zell	Harrheim	Göllheim	K.
Zeltingen	Zeltingen	Bernkastel	T.
Zeselberg	Zeselberg	Waldfischbach	Z.
Zilshausen	Treis	Treis	Kz.
Zornheim	Zornheim	Niederolm	A.
Zotzenheim	Zotzenheim	Wöllstein	A.
Zurlauben	Trier	Trier	T.
Züsch	Hermeskeil	Hermeskeil	B.
Zweibrücken	Zweibrücken	Zweibrücken	Z.

Bemerkung. Die Grenze mit Frankreich ist noch nicht an allen Orten regulirt. Die Gemeinden Arzheim, Ranschbach, Eschbach, Münchweiler, Waldhambach und Waldrohrbach sind von französischen Truppen besezt, und werden von Frankreich reklamirt, ebenso Ottersheim, Offenbach, Ilbesheim, Niedersteinbach und Obersteinbach, welche indeß von baierischen Truppen besezt sind. Die Linie an der Queich von Landau bis Hördt ist mehreren Diskussionen unterworfen, welche zwischen den durch die respektiven hohen Höfe ernannten Grenzberichtigungs-Kommissären noch nicht zum Abschluß gediehen sind. Andere in obigem Verzeichniß nicht benannte Gemeinden, als Lenzweiler, Guichenbach, von welcher lezteren Ueberhofen den kleineren Theil ausmacht, werden von Seiten der k. k. österreichischen und k. baierischen Hrn. Kommissäre als zu Deutschland gehörig, in Anspruch genommen.

7

II.

Statistische Uebersichten.

A. Viehstand und Gebäude.

Kreis	Namen der Kantone.	Viehstand			Anzahl der Gebäude
		Pferde.	Rindvieh	Schaafe.	
Alzey	Alzei . . .	354	2152	—	2455
	Bechtheim . .	638	2046	—	2510
	Bingen . . .	92	380	—	1158
	Kirchheimboland	210	1677	—	1780
	Niederolm . .	343	1617	80	2027
	Oberingelheim .	166	1358	—	2301
	Oppenheim . .	372	1975	—	2329
	Wöllstein . .	243	1496	—	1706
	Wörrstadt . .	544	2131	—	2374
		2962	14832	80	18640
Speyer	Dürkheim . .	384	5810	—	2553
	Edenkoben . .	690	6816	25	3690
	Frankenthal .	695	5118	70	2153
	Germersheim .	770	4602	750	1818
	Grünstadt . .	661	6922	—	2911
	Mutterstadt .	714	6334	315	2002
	Neustadt . .	576	8096	996	3844
	Pfeddersheim .	555	7528	—	2409
	Speyer . . .	857	3540	480	1870
	Worms . . .	131	467	—	930
		6033	55333	2636	24180

Kreis.	Namen der Kantone.	Viehstand			Anzahl der Gebäude
		Pferde.	Rindvieh.	Schaafe.	
Kaiserslautern.	Kaiserslautern .	697	3293	2263	1658
	Göllheim . .	294	2748	937	1031
	Lauterecken . .	190	2365	2100	889
	Obermoschel .	445	3993	2220	1771
	Otterberg . .	330	3126	2153	1193
	Reckenhausen .	254	3101	2398	1071
	Winnweiler . .	312	3778	3410	1917
	Wolfstein . .	406	3455	3687	1323
		2928	25859	19168	10853
Zweibrücken.	Annweiler . .	706	4131	1230	3177
	Dahn . . .	304	3279	917	1024
	Homburg . .	273	1617	2806	991
	Landstuhl . .	706	3574	1537	1641
	Medelsheim .	541	1485	2040	871
	Neuhornbach .	388	1002	2057	681
	Pirmasenz . .	642	3854	2836	2307
	Waldfischbach .	594	2414	2513	886
	Zweibrücken . .	666	2364	3230	2235
		4820	23720	19166	13813
Trier.	Bernkastel . .	159	2839	923	1932
	Conz . . .	786	2636	3600	1669
	Merzig . . .	1326	2515	3772	2543
	Neumagen . .	214	2400	2640	1316
	Ruwer . . .	87	1445	720	751

Kreis	Namen der Kantone.	Viehstand.			Anzahl der Gebäude.
		Pferde.	Rindvieh	Schaafe.	
Trier.	Saarburg . .	1517	3073	1270	2207
	Trier . . .	106	661	324	1750
		4195	15569	13249	12168
Birkenfeld.	Baumholder .	242	2775	9143	1227
	Birkenfeld . .	308	2423	4741	1230
	Cusel . . .	309	3032	6047	1452
	Grumbach . .	412	2407	4559	1049
	Hermeskeil .	728	3659	5965	1795
	Herrstein . .	148	2174	6472	1453
	Meisenheim .	236	2386	4525	1451
	Rhaunen . .	349	2630	3180	1550
	Wadern . . .	716	2492	3950	1141
		3448	23978	48582	12338
Ottweiler.	Blieskastel . .	793	2235	2048	2245
	Lebach . . .	1427	2391	5484	1508
	Ottweiler . .	766	3762	4142	1659
	St. Wendel .	453	1146	3386	1200
	Tholey . . .	852	2075	3088	1293
	Waldmohr . .	409	3321	1932	1504
		4700	14930	20080	9409

Kreis	Namen der Kantone.	Viehstand			Anzahl der Gebäude
		Pferde.	Rindvieh	Schaafe.	
Simmern.	Bacharach . .	51	1976	1000	1677
	Castellaun . .	316	3290	2100	1309
	Kreuznach . .	343	3676	600	2083
	Kirchberg . .	626	3796	3880	1908
	Kirn	97	1130	1700	676
	St. Goar . .	165	2170	2200	952
	Simmern . .	740	5070	6600	2112
	Sobernheim .	219	3880	2270	1763
	Stromberg . .	172	3260	—	1822
	Trarbach . .	286	1780	2000	1184
		3015	30028	22350	15486
Koblenz.	Boppard . .	129	2220	1920	2027
	Treis . . .	159	2357	1447	927
	Zell	230	3386	1159	1980
		518	7963	4526	4984

Wiederholung.

Kreise.	Viehstand			Anzahl der Gebäude
	Pferde.	Rindvieh	Schaafe.	
Alzey	2962	14832	80	18640
Speyer . . .	6033	55333	2636	24180
Kaiserslautern	2928	25859	19168	10853
Zweibrücken .	4820	23720	19166	13813
Trier	4195	15569	13249	12168
Birkenfeld . .	3448	23978	48582	12338
Ottweiler . .	4700	14930	20080	9409
Simmern . .	3015	30028	22350	15486
Koblenz . . .	518	7963	4526	4934
Hauptsummen	32619	212212	149837	121821

B. Flächeninhalt,
Personalsteuer= und Patentsteuer=Pflichtige.

Namen der Kantone.	Flächen=Inhalt.	Anzahl der Personal=steuer=pflichtigen	Anzahl der Patent=steuer=pflichtigen.
Kreis Alzey.	Hektaren.		
Alzey	10679	2656	
Bechtheim	9845	2782	
Bingen	3482	1383	
Kirchheimboland . .	10372	2060	
Niederolm	8522	2265	5174
Oberingelheim . . .	7395	2476	
Oppenheim	8402	2518	
Wöllstein	6863	2247	
Wörrstadt	6419	2830	
	71979	21217	
Kreis Speyer.			
Dürkheim	14124	3508	
Edenkoben	9523	3973	
Frankenthal . . .	11956	2790	
Germersheim . . .	8690	1790	
Grünstadt	13629	3281	7888
Mutterstadt	14671	2403	
Neustadt	18332	4528	
Pfeddersheim . . .	11376	2739	
Speyer	11468	2229	
Worms	1810	1042	
	115579	28283	

Namen der Kantone.	Flächen-Inhalt.	Anzahl der Personal-steuer-pflichtigen.	Anzahl der Patent-steuer-pflichtigen.
Kreis Kaiserslaut.	Hektaren.		
Göllheim	13401	1103	
Kaiserslautern . . .	20619	2016	
Lauterecken	7392	885	
Obermoschel	11524	1573	
Otterberg	9191	1240	3416
Rockenhausen . . .	9666	994	
Winnweiler	13588	1452	
Wolffstein	9239	1298	
	94620	10561	
Kreis Zweibrücken.			
Annweiler	19841	2902	
Dahn	14195	1259	
Homburg	10754	921	
Lundstuhl	17075	1497	
Medelsheim	8698	933	2745
Neuhornbach . . .	7102	749	
Pirmasenz	32768	2109	
Waldfischbach . . .	18129	1099	
Zweybrücken . . .	12778	1857	
	141340	13326	

Namen der Kantone.	Flächen-Inhalt.	Anzahl der Personal-steuer-pflichtigen.	Anzahl der Patent-steuer-pflichtigen.
Kreis Trier.	Hektaren.		
Bernkastel	7069	2184	
Conz	14022	1706	
Merzig	16445	2495	
Neumagen	5897	1338	2483
Ruwer	5307	838	
Saarburg	16476	2476	
Trier	2883	2356	
	68090	13393	
Kreis Birkenfeld.			
Baumholder	24986	1542	
Birkenfeld	21995	1435	
Cusel	16325	2107	
Grumbach	14044	1313	
Hermeskeil	47006	1828	3441
Herrstein	21284	1818	
Meisenheim	14813	1849	
Rhaunen	21570	1655	
Wadern	20177	1151	
	202200	14698	

8

Namen der Kantone.	Flächen=Inhalt.	Anzahl der Personal=steuer=pflichtigen.	Anzahl der Patent=steuer=pflichtigen.
Kreis Ottweiler.	Hektaren.		
Blieskastel	21427	2467	
Lebach	22344	1765	
Ottweiler	25200	2222	2141
St. Wendel . . .	12676	1560	
Tholey	6169	1436	
Waldmohr	30851	1673	
	118667	11123	
Kreis Simmern.			
Bacharach	6404	1690	
Castellaun	9971	1212	
Kirchberg	13373	1765	
Kreuznach	9614	2326	
Kirn	3345	549	3365
St. Goar	9032	808	
Simmern . . . ,	20510	2154	
Sobernheim . . .	11455	1761	
Stromberg	14432	2037	
Trarbach	7407	1048	
	105543	15350	
Kreis Koblenz.			
Boppard	12841	2430	
Treis	6381	1095	781
Zell	6255	2338	
	25477	5863	

Wiederholung.

Kreise.	Flächen-Inhalt.	Anzahl der Personal-steuer-pflichtigen.	Anzahl der Patent-steuer-pflichtigen.
	Hektaren.		
Alzey	71979	21217	5174
Speyer	115579	28283	7888
Kaiserslautern	94620	10561	3416
Zweibrücken . .	141340	13326	2745
Trier	68099	13393	2483
Birkenfeld . . .	202200	11123	3441
Ottweiler . . .	118667	14698	2141
Simmern . . .	105543	15350	3365
Koblenz	25477	5863	781
Hauptsummen	943504	133814	31434

Anmerkung.

Die obigen Angaben des Flächeninhalts von einzelnen Kantonen und Kreisen bedürfen hie und da einer näheren Berichtigung. Nach einer mit möglichster Genauigkeit angestellten Berechnung ist der Flächeninhalt des ganzen Landesbezirks stärker als die obige Hauptsumme, und beträgt in Quadratmeilen 220, wovon für die vier Kreise des Donnersberges 105, für die drei der Saar 83, und für die zwei von Rhein und Mosel 32 gerechnet werden.

C. Direkte Steuern vom Jahr 1815.

a. Perſonal= Grund= und Thür= und Fenſter= Steuer.

Kreiſe.	Hauptſummen		
	der Perſonal- ſteuer.	der Grundſteuer	der Thür- und Fenſter- Steuer.
	Franken.	Fr. Ct.	Fr. Ct.
Alzey	85567	782803 69	61608 ,,
Speyer	117164	811341 76	83301 ,,
Kaiserslautern . .	42554	235424 67	24833 ,,
Zweibrücken . .	53969	290997 88	27471 ,,
Trier	42088	158836 ,,	26695 ,,
Birkenfeld . . .	54201	284740 ,,	26937 ,,
Ottweiler . . .	35819	197343 ,,	20627 ,,
Die mit den Kreiſen Trier und Ottweiler neu-ver-einigten Gemeinden { des Moſel- Departem.	7290	36544 ,,	2989 ,,
{ des Wäl- der-Dept.	2306	26792 ,,	1767 ,,
Simmern . . .	54331	368593 ,,	33728 ,,
Koblenz	19238	76159 ,,	6613 28
Totalſummen .	514527	3279575 ,,	316569 28

b. Patentensteuer vom Jahr 1814.

Kreise.	Gesamt-Betrag der Patentensteuer.	
	Fr	Ct.
Alzey	52795	94
Speyer	81514	03
Kaiserslautern	28131	77
Zweibrücken	24275	10
Trier	34606	79
Birkenfeld	30264	28
Ottweiler	18246	88
Simmern	27492	38
Koblenz	7005	96
Totalsumme . .	304333	13

III. Nachträge und Berichtigungen.

I. Präsidialsekretäre J. J. Erzellenzen, der beiden Herren Präsidenten der Landes-Administrations-Kommission.

Präsidialsekretär Sr. Erz. des Hrn. geh. Raths, Frhrn. von Heß: Hr. Heinrich Amann. (Siehe Mainz.)

,, ,, Sr. Erz. des Hrn. geh. Raths, Ritter von Zwack: Hr. Karl Steinheil.

II. Kreisdirektions-Adjunkturen.

(Zu Nro. III. Seite 21.)

Adjunkt der Kreisdirektion zu Alzey Hr. Peter Anton Müller. (siehe S. 18.)

,, ,, ,, ,, Speyer Hr. Peter Heuß. (f. S. 19.)

,, ,, ,, ,, Kaiserslautern Hr. L. Fr. Voltz. (f. S. 18.)

,, ,, ,, ,, Zweibrücken Herr Karl Hahn. (f. S. 19.)

,, ,, ,, ,, Ottweiler Hr. Ph. Siebenpfeiffer. (f. S. 18.)

(Bei den übrigen Kreisen sind diese Stellen nicht besetzt.)

III. Direktion vom Zollwesen.

Direktor: Herr Friedrich Handel.

Inspektor: Hr. Wilhelm Emonts. (f. S. 18.)

Wasserzoll von Bernkastel.

Einnehmer: Hr. Jakob von Bridoul. Kontroleur: Hr. Johann Hirschling.

Wasserzoll von Trier.

Einnehmer: Hr. F. Gerh. Wittus. Kontroleur: Hr. H. F. J. Heimes.

Wasserzoll von Merzig.

Einnehmer: Hr. Karl Karsch. Kontroleur: Hr. Fr. X. Fritsch.

IV. Departemental-Armenanstalten.
(Zu XIII. S. 47.)

Einnehmer der Anstalt zu Frankenthal: Hr. Damance.
„   „   „   „ Trier: Hr. Petri.

Seite.

37. Grube von Wellesweiler. Einnehmer: Herr Bartels.
  „   „   „   „   Kontroleur: „ Rath.
  „   „   „   „   Kontroleur: „ Frick.
99. Pfarrer zu Blankenrath   (unbesetzt.)
103. „   „ Wachenheim   Herr Krumbholz.
104. „   „ Otterberg   „ Barth.
109. „   „ Gebroth   (unbesetzt.)
  „   „   „ Winterburg   (unbesetzt.)
  „   „   „ Münster a. St.   „ Lichtenberger.
  „   „   „ Brezenheim   „ Kremer.
126. Steuereinnehmer für die Bürgermeistereien 2 und 5 mit der Gemeinde Sponsheim Hr. George; für 3 und 6 mit der Gemeinde Grolsheim Hr. Krbll.
130.   „   für die Gemeinden Dienheim und Rudelsheim von No. 7. Hr Görtz.
135. Bürgermeister zu Altdorf: Herr Becker.
137. Steuereinnehmer für die Bürgermeistereien 1 und 4 Hr. Adolay; für 2 und 11 Hr. Debest. für 3, 5 und 10 unbesetzt; Für 6, 8 und 12 Hr. Tenner; für 7 und 9 Hr. Ott.

Seite.

138. Steuereinnehmer für die Bürgermeisterei 8 Hr. Stempel; für 9 und 11 Hr. Reichert;

139. „ für die Bürgermeistereien 6, 7 und 19 Hr. Bechaud.

140. „ für die Bürgermeistereien 1, 4 und 6 Hr. Renner; für 2 und 10 Hr. Rodrian; für 3, 5, 11 und 12 (unbesetzt.)

144. „ für die Bürgermeistereien 1 und 2 Hr. Braun; für 3 und 4 Hr. Braun; für 5, 7 und 8 Hr. Heron.

151. Bürgermeister zu Rockenhausen (unbesetzt.)

162. Steuereinnehmer für die Bürgermeistereien 1, 4, 8 u. 10 Hr. Steffe.

169. „ für die Bürgermeisterei 8 (unbesetzt.)

173. „ beim Kanton Trier Hr. Jonas. Gemeindeeinnehmer: Hr. Labner.

183. Bürgermeister zu Meisenheim: „ Beck.

200. „ „ Kreuznach: „ Brunn.

207. „ „ Wallhausen (unbesetzt.)

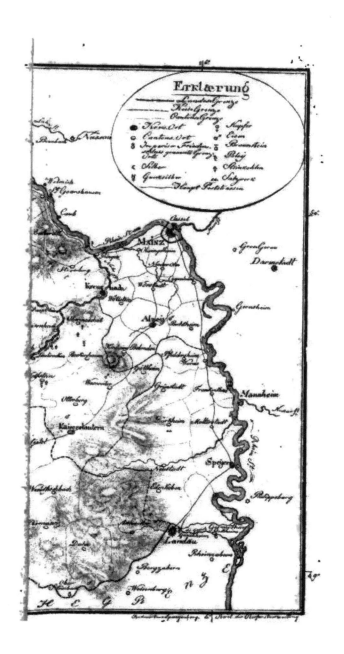